FAUST

GŒTHE

FAUST

Traduction de Gérard de Nerval

Chronologie et préface
par
Jeanne Ancelet-Hustache
agrégée de l'université

GF

FLAMMARION

ESQUISSE BIOGRAPHIQUE

ESQUISSE BIOGRAPHIQUE

28 août 1749 : Naissance à Francfort-sur-le-Main de Jean-Wolfgang Gœthe, fils de Jean-Gaspard Gœthe, « Conseiller impérial » (sans fonctions) (1710-1782), et de Catherine Elisabeth Textor (1731-1808), d'une des familles dirigeantes de la ville. Plusieurs frères et sœurs morts en bas âge. Seule survivante Cornélia (1750-1777).

1756-1763 : Guerre de Sept ans. 1759, occupation de Francfort par les troupes françaises alliées. Gœthe apprend le français par les soldats et les représentations du théâtre aux armées.

1763-1764 : Relations de Gœthe avec Gretchen, son premier amour, qui donnera son nom à l'héroïne de *Faust*.

3 avril 1764 : Couronnement de Joseph II à Francfort.

Octobre 1765-août 1768 : Gœthe à l'Université de Leipzig. Relations intimes avec Annette-Catherine Schönkopf d'avril 1766 à mars 1768. Juin 1768. Gœthe tombe gravement malade.

Septembre 1768-mars 1770 : Séjour à Francfort. Études de chimie, alchimie, mystique. Fréquentation des cercles piétistes (Mlle de Klettenberg, la « Belle âme » de *Wilhelm Meister*).
Quelques poésies lyriques encore assez peu « gœthéennes ». Deux comédies qui transposent l'aventure amoureuse de Leipzig : *Le Caprice de l'Amant, Les Complices*.

Avril 1770-août 1771 : Etudes de droit et de médecine à Strasbourg. Relations avec Herder. Lecture de Shakespeare, Homère, Ossian. Idylle de Sesenheim (octobre 1770-août 1771), puis Gœthe quitte brusquement Frédérique Brion et l'Alsace.

Poèmes : cycle de Frédérique. (Le génie lyrique de Gœthe est né.) Plan de *Gœtz de Berlichingen* et de *Faust*. Gœthe recueille en Alsace des chants populaires.

Août 1771-mai 1772 : Francfort. Gœthe travaille à son drame de *Gœtz*. Voyages fréquents, souvent à pied, à Darmstadt et dans la région.

Mai-septembre 1772 : Attaché juridique aux archives d'Empire à Wetzlar. Passion malheureuse pour Lotte Buff, fiancée à Kestner, origine de *Werther*.

Septembre 1772-octobre 1775 : Francfort. Amour pour la coquette Lili Schönemann. Voyage en Suisse (mai-juillet 1775. Fribourg, Schaffhouse, Constance, Zurich, Lac des Quatre-Cantons, etc.) Rupture des fiançailles avec Lili (juillet 1775).

Œuvres : *Gœtz de Berlichingen* (1773), *Clavigo* (1774), *Werther* (1774). Poèmes lyriques : *Mahomet, Prométhée, Ganymède*, cycle de Lili (1773-1775).

1773-1775 : Le *Faust* primitif (*Urfaust*).

22 septembre 1775 : Le duc Charles-Auguste de Weimar invite Gœthe à venir à Weimar.

1775-1786 : Weimar.

Janvier 1776 : Première lettre à Madame de Stein. Début du long amour pour elle.

11 juin 1776 : Gœthe conseiller aulique.
Visites aux mines d'Ilmenau en vue de leur remise en état. Début des études géologiques et minéralogiques.

2-15 décembre 1777 : Voyage dans le Harz et sur le Brocken.

Mai 1778 : Potsdam, Berlin avec le duc.
Œuvres : *Voyage dans le Harz en hiver. Iphigénie en Tauride* (version en prose, 1779). Nombreuses poésies lyriques au cours de ces années et de celles qui suivront. Début du travail à *Wilhelm Meister*.

Septembre 1779-janvier 1780 : Second voyage en Suisse, avec le duc. Séjour avec lui dans la maison paternelle à Francfort. Berne, Lausanne, Chamonix, Lucerne, Zurich, Schaffhouse, retour par Stuttgart et Mannheim.

Avril 1780 : Voyage à Leipzig avec le duc.

19 juillet 1780 : Lecture de *Faust* (*Urfaust*) au duc Charles-Auguste de Weimar et au prince Auguste de Gotha.

4 juin 1782 : Gœthe anobli par l'empereur.

Septembre 1786-juin 1788 : Voyage en Italie.

29 octobre 1786 : Arrivée à Rome.

22 février 1787 : Départ pour Naples. 2-6 mars, ascension du Vésuve. 29 mars, traversée pour la Sicile. 2-17 avril, Palerme. Voyage à l'intérieur de la Sicile. 13 mai, retour à Naples. 8 juin 1787, retour à Rome.
Pendant le voyage en Italie, travail à *Iphigénie* (remaniement en vers), *Egmont*, *Torquato Tasso*, *Faust* (Cuisine de la sorcière).
Gœthe a fait en Italie plus de mille dessins de paysages.

23 avril 1788 : Départ de Rome.

18 juin 1788 : Arrivée à Weimar.

Juillet : Début des relations avec Christiane Vulpius. Brouille avec Madame de Stein.

Mai 1789 : Sur la recommandation de Gœthe, Schiller est nommé professeur d'histoire à l'Université d'Iéna.

25 décembre 1789 : Naissance d'Auguste qui seul survivra des cinq enfants de Gœthe et de Christiane Vulpius.

1790 : Voyage à Venise (mars-mai). Études de sciences naturelles. Juillet-octobre, voyage à Dresde, Breslau avec le duc, Cracovie, retour à Weimar.
Publication des *Elégies romaines*, des tomes 6 et 7 des *Œuvres complètes*. Dans le tome 6, *Torquato Tasso*; dans le tome 7 : *Faust*, un fragment.

1791 : Gœthe directeur du théâtre de Weimar. Travaux sur l'optique.

Août-décembre 1792 : Gœthe accompagne le duc dans la campagne de France. 20 septembre, canonnade de Valmy. Décembre, retour à Weimar.

12 mai 1793 : Départ pour le siège de Mayence. Reddition de la ville. 24 juillet, départ de la garnison française.

Juillet 1794 : Début de l'amitié entre Gœthe et Schiller.

A partir de cette date, Gœthe séjournera souvent à Iéna.

1793-1794 : Traduction du *Roman de Renart*.

1795-1796 : Etudes de sciences naturelles. Publication des *Années d'apprentissage de Wilhelm Meister*.

1797 : Publication d'*Hermann et Dorothée*. « Année des ballades ». Dédicace de *Faust*. Etudes sur les insectes et sur l'optique.

Août-novembre 1797 : Voyage en Suisse (Schaff-house, Zurich, le Saint-Gothard pour la troisième fois).

1798 : Travail à *Faust* (Prologue sur le théâtre, Prologue au ciel, Songe de la Nuit de Walpurgis).

1799 : Traduction du *Mahomet* de Voltaire.

Décembre : Schiller s'installe à Weimar.

1800-1801 : Travail à *Faust* (Cabinet de travail, Devant la porte de la ville, Nuit de Walpurgis).

1803 : Traduction de la *Vie de Benvenuto Cellini*. Pre-mière représentation de *La Fille naturelle*.

9 mai 1805 : Mort de Schiller.

1805 et 1806 : Fréquentes maladies et indispositions de Gœthe.

13 avril 1806 : Gœthe termine *Faust*, première partie. Reconnaissant à Christiane Vulpius de l'avoir protégé contre des soldats français ivres, Gœthe l'épouse le 19 octobre 1806.

1808. 2 et 10 octobre : Entrevues avec Napoléon. Publication de *Faust*, première partie.

1808-1809 : *Les Affinités électives*. Pendant toutes ces années, poursuite des études scienti-fiques. Théorie des couleurs.

Eté 1812 : A Karlsbad avec Beethoven.

1811-1814 : Publication des Mémoires : *Poésie et Vérité*.

De juillet 1814 à avril 1817 : Nombreux voyages dans la région du Rhin et du Main.

6 juin 1816 : Mort de Christiane Vulpius.

Novembre 1816 : Dans une lettre à Zelter, Gœthe parle de l'influence de Linné, Shakespeare et Spinoza sur sa formation.

Décembre 1816 : Reprise du travail à *Faust II*.

1816-1817 : Publication du *Voyage en Italie*.

17 juin 1817 : Mariage d'Auguste von Gœthe avec Otti-
lie von Pogwisch.

Avril 1818 : Naissance de Walther, premier petit-fils
de Gœthe († 1885).

1819 : Publication du *Divan oriental-occidental*.

18 septembre 1820 : Naissance de Wolfgang, second
petit-fils de Gœthe († 1883).

1822 : Publication de la *Campagne de France*. Travaux
d'histoire naturelle.

Juin 1823 : Arrivée d'Eckermann à Weimar.

Juillet 1823 : Gœthe aux eaux de Marienbad comme les
années précédentes. Ulrique de Levetzow, dernier
amour de Gœthe. Il la fait demander en mariage
par le duc. Réponse dilatoire. *Elégie de Marienbad*
(septembre 1823).

Novembre 1823 : Grave maladie.

Février 1825 : Reprise du travail à *Faust II* qui se
poursuivra pendant les années suivantes.

1826 : Gœthe commence à lire *le Globe* auquel colla-
borent de jeunes écrivains français.

1827 : Début de l'édition des *Œuvres complètes* de
dernière main.

29 octobre 1827 : Naissance d'Alma, petite-fille de
Gœthe († 1844). Aucun des trois petits-enfants de
Gœthe ne laissera de descendance.

Mars 1828 : Gœthe reçoit les lithographies sur *Faust*
d'Eugène Delacroix.

14 juin 1828 : Mort du duc Charles-Auguste de Weimar.

29 octobre 1828 : Représentation au théâtre de la
Porte-Saint-Martin, à Paris, de *Faust, drame en trois
actes, imité de Gœthe*.

1828-1829 : Publication de la *Correspondance Gœthe-
Schiller*.

1829 : *Les Années de voyage de Wilhelm Meister*. Gœthe y
travaillait depuis 1798.

Mai 1829 : Berlioz envoie à Gœthe sa partition : *Huit
scènes de Faust*.

29 août 1829 : Première représentation de *Faust*, première partie, au théâtre de Weimar.

6 décembre 1829 : Gœthe lit à Eckermann des scènes de *Faust II*.

Janvier 1830 : Gœthe reçoit la traduction de *Faust* de Gérard de Nerval. Nouvelles lectures de *Faust II* à Eckermann.

Juillet 1830 : Gœthe s'intéresse au débat entre Cuvier et Geoffroy Saint-Hilaire.

27 octobre 1830 : Mort d'Auguste von Gœthe à Rome.

6 juin 1831 : Gœthe communique à Eckermann l'acte V de *Faust II*.

Août 1831 : *Faust II* est terminé et scellé.

11 mars 1832 : Conversation avec Eckermann sur des questions religieuses.

14 mars. Dernière promenade de Gœthe. 16 mars, Gœthe tombe malade. 17 mars, dernière lettre de Gœthe, adressée à Guillaume de Humboldt, sur *Faust*.

22 mars 1832 : Mort de Gœthe à Weimar.

PRÉFACE

I

LA LÉGENDE DE FAUST
AVANT GŒTHE

Le nom de Faust, appelé à une telle célébrité, fut porté au tournant des XVᵉ et XVIᵉ siècles par un personnage à réputation de magicien, assez mal connu, dont l'identité même reste douteuse.

Le goût du merveilleux ne se limite pas au Moyen âge, comme on est trop tenté de le croire. Plus que l'époque précédente même, les temps modernes, en leur aube, se révèlent épris de fantastique : alchimistes, chercheurs d'or, astrologues et sorcières y mènent leur train, tantôt charlatans, tantôt convaincus de leur pouvoir sur les éléments et le monde des esprits.

Ce Faust, en marge de la société, devient bientôt populaire dans les milieux d'étudiants qu'il a fréquentés, entre autres à Erfurt, Leipzig, Wittenberg, où naquit peut-être, où s'amplifia certainement sa légende. Celle-ci se cristallisa dans le livre anonyme connu sous le nom de *Volksbuch du Docteur Faust*. La première édition, datée de Francfort, 1587, eut un très grand succès, comme le prouve le nombre des rééditions et des remaniements. Le Malin, avec qui Faust a conclu un pacte, donne à sa victime les moyens de céder à toutes les tentations de la chair et de l'esprit. Quand Faust essaye de se reprendre, il anéantit en lui l'espoir du pardon. Alors commence la carrière du magicien. Il multiplie les prodiges, évoque même Hélène de Grèce qui s'unit à lui et lui donne un fils.

L'heure approche où il va payer de son âme les satisfactions terrestres. Il voudrait encore se repentir, il ne le peut plus. Le voici donc voué aux abîmes infernaux. Comme conclusion, l'auteur du *Volksbuch*, en qui l'on décèle un pieux luthérien, exhorte son lecteur à renoncer à toute magie et à mener une existence vertueuse.

Le théâtre s'empare du sujet. D'abord jouée au XVIIe siècle par des acteurs qui y introduisent des éléments comiques, la pièce passe au répertoire des marionnettes, tradition qui se perpétue aujourd'hui encore à Salzbourg.

Le *Volksbuch* ayant été traduit en anglais, Marlowe (1563-1593), contemporain de Shakespeare, y trouve le sujet d'un drame puissant et sombre. Faust devient ici un orgueilleux révolté qui, bravant le ciel, nie toutes les lois divines et humaines. Il va sans dire qu'une telle attitude ne peut qu'entraîner l'éternelle damnation.

Du drame que Lessing (1729-1781) se proposait d'écrire sur Faust, il ne reste qu'un fragment cité par l'auteur dans un texte de 1759, publié seulement en 1786. Nous savons par des témoignages contemporains que, selon l'esprit du siècle « des lumières », Lessing avait fait de Faust un bon rationaliste avide de connaissance. En vain les puissances infernales croient-elles avoir triomphé. Un ange les réduit au silence : la divinité n'a pas donné à l'homme le plus noble des penchants pour le rendre éternellement malheureux.

Ainsi donc, Lessing rompt le premier avec la tradition en assurant le salut de son héros.

II

LE « FAUST » DE GŒTHE

I

LE « FAUST » PRIMITIF *(Urfaust)*

Le magicien fut le compagnon de Gœthe depuis sa jeunesse jusqu'à la fin de sa longue vie. Soit déjà à Francfort par les marionnettes, soit en 1770 à Strasbourg grâce à une troupe théâtrale, il avait pu faire sa connaissance.

Lors de son séjour à Strasbourg (avril 1770-août 1771), où il poursuit ses études de droit, il rencontre Herder

venu y faire soigner ses yeux. Herder, qui a déjà beaucoup écrit sur la littérature et le langage, initie un cercle
de jeunes, de quelques années ses cadets, à la pensée de
Hamann, le « Mage du Nord », et de Rousseau. Au
rationalisme théiste et humanitaire, ces jeunes opposent
le culte du « titan », du « surhomme » *(Uebermensch,* le
terme se trouve déjà dans le *Faust* de Gœthe), le mépris
de toute règle morale ou sociale et, sous l'influence
aussi des romans anglais contemporains, la primauté
du sentiment. Ils cherchent à connaître par intuition
l'unité du cosmos, ils adorent Dieu-Nature, âme du
monde en perpétuel devenir. Un drame de Klinger,
l'un d'entre eux, s'intitule *Sturm und Drang.* Ces deux
termes expriment l'impétuosité des puissances instinc-
tives. Tel sera le mot d'ordre de ce mouvement auquel
Gœthe participera, lui donnant ainsi ses titres de gloire
pour la postérité.

Faust surgit du passé. Müller dit « le Peintre » dra-
matise la légende en une pièce fort confuse. Promis à
la folie, J.M.R. Lenz esquisse le drame d'un Faust
aussi mélancolique que lui-même, tandis que le roman
de Klinger présente un personnage impatient de tous
les jougs. Quelques éclairs, parfois, dans ces tentatives
fumeuses, dont le génie de Gœthe n'aura que faire.

Quand, après sa trahison envers la jeune Alsacienne
Frédérique Brion, aussi douloureuse pour lui que pour
elle, et sa passion de Wetzlar pour Lotte qui nous a
valu *Werther,* Gœthe revient dans le milieu familial
de Francfort, son port d'attache bienfaisant et mal
supporté, il se remet de ses naufrages temporaires en
travaillant sans répit. Les grands héros historiques ou
légendaires le sollicitent : César, Socrate, Gœtz à la
main de fer, Prométhée, Mahomet et, inéluctablement,
Faust auquel il pense dès son séjour à Strasbourg.
De 1773 à 1775, il rédige ce que l'on a nommé depuis
lors l'*Urfaust,* le *Faust primitif.* Il emporte à Weimar
son manuscrit qui, recopié par une dame d'honneur de
la cour, ne fut retrouvé fortuitement qu'en 1887. Com-
posée de fragments sans lien rigoureux, cette première
rédaction contient environ le tiers du texte définitif.
On y trouve déjà les scènes les plus célèbres. Comme
entrée de jeu, le monologue dans lequel Faust crie son
dégoût de la science livresque : « Habe nun, ach! Philosophie... »

Gœthe a déclaré dans ses Mémoires que ses écrits

ne sont que « les fragments d'une grande confession ».
L'*Urfaust* révèle, transposées, quelques expériences du
jeune homme.

Au retour de Leipzig où se situe son premier séjour
loin de la maison paternelle, malade en son corps et
son âme, le garçon de dix-neuf ans avait traversé une
crise mystique, trouvé un refuge spirituel dans les
milieux piétistes de Francfort, s'était même aventuré
parmi les traités d'alchimie. Il s'en souvient dans la
scène qui suit immédiatement le premier monologue de
Faust : l'évocation de l'Esprit de la terre traduit l'amer-
tume, aussi vieille que le monde, du chercheur qui se
heurte aux étroites limites du savoir humain :

« Esprit créateur, qui ondoies autour du vaste univers,
combien je me sens près de toi ! — Tu es l'égal de l'esprit que tu conçois, mais tu n'es pas égal à moi. — Pas
à toi ! A qui donc ? Moi ! l'image de Dieu ! Pas seulement
à toi ! »

Même ironie cinglante dans le dialogue de Faust avec
son famulus, personnification de tous les cuistres ren-
contrés à Leipzig et ailleurs. Sur le ton du persiflage
qui lui est propre, Méphistophélès, s'entretenant avec
l'Ecolier, fait bon marché aussi du savoir déversé à
l'Université par des professeurs insipides dont Gœthe
suivit d'ailleurs fort peu les cours.

Autre écho de Leipzig dans les bouffonneries de la
taverne d'Auerbach. Les billets de Gœthe à son mauvais
génie de l'époque, Behrisch, prouvent qu'il n'a en rien
exagéré la grossièreté de ce milieu, ni son propre cynisme
de garçon jetant sa gourme. Il en atténuera plus tard
l'expression.

Scènes tragiques du drame de la connaissance et
intermèdes comiques alternent donc dans cet *Urfaust*, à
l'imitation du théâtre shakespearien qui fut la plus cons-
tante admiration de Gœthe.

Si attachant que soit cet aspect de l'œuvre, celle-ci
n'aurait cependant pas connu son rayonnement universel sans le drame de Marguerite.

Gretchen. Ainsi se nommait celle qui fut le premier
amour de Gœthe. Il avait quinze ans. Elle était la parente
d'un des garçons assez suspects qu'il fréquentait alors,
s'étant procuré une clef de la maison pour rentrer la
nuit. Accusée de faux, la bande est arrêtée, Gœthe lui-
même suspecté. La jeune fille déclara au cours du
procès qu'elle avait toujours considéré Jean-Wolfgang

comme un enfant. Pour le disculper peut-être ? Toujours
est-il qu'il en fut profondément ulcéré. Nous ne connais-
sons cette histoire que par son propre récit, le grand-
père maternel, premier personnage de la ville, ayant
sans doute détruit les documents compromettants pour
son petit-fils.

Quelques lignes des Mémoires évoquent la « silhouette
charmante » de Gretchen. Comme une première esquisse
de celle que Faust aimera, nous l'apercevons à l'église
où Gœthe se rend pour la voir, ou encore « debout
devant le miroir », ou « assise à la fenêtre et filant ».

Entre cette aventure de la prime jeunesse et la rédaction de l'*Urfaust*, d'autres images féminines ont contri-
bué à préciser les traits de Marguerite. Nous ne retrouvons guère en elle ni Kætchen de Leipzig, facile et assez
vulgaire, ni Lili Schœnemann, mondaine et coquette,
ni la sage Lotte de Wetzlar, bien plutôt Frédérique Brion,
non pas coupable comme Gretchen, certes, mais droite,
sincère, confiante, déchirée dans son amour perdu.

L'homme de moyenne culture et les nombreux
peintres et musiciens qui s'inspirèrent de *Faust* sont ici
unanimes dans l'admiration. Toute la spontanéité de
la jeunesse, toute la ferveur d'un premier amour, toute
la drôlerie aussi d'un adolescent qui sait à l'occasion se
moquer et rire de bon cœur, ont trouvé leur expression
dans ces tableaux inoubliables que l'art de Gœthe ne
surpassera jamais. Dialogue de la première rencontre.
Remise de la cassette. Ballade du roi de Thulé. Jardin
de Dame Marthe. Etapes de la séduction. Conversation
à la fontaine, Lieschen brocardant les filles qui ont
péché. Prière de Marguerite à la Vierge des douleurs.
Scène de la cathédrale. Malédiction de Valentin. Marguerite dans sa prison.

L'influence du *Sturm und Drang* est à deux reprises
particulièrement sensible dans l'*Urfaust*. D'abord au
jardin de Dame Marthe, lorsque Marguerite interroge
Faust sur ses sentiments religieux et qu'il répond :

« ... qui oserait le nommer et faire cet acte de foi : Je
crois en lui ? Qui oserait sentir et s'exposer à dire : Je
ne crois pas en lui ? Celui qui contient tout, qui soutient
tout, ne contient-il pas, ne soutient-il pas toi, moi et
lui-même ? » Faust invite Marguerite à remplir son
âme de ce mystère éternel « ... et si par ce sentiment tu
es heureuse, nomme-le comme tu voudras, bonheur !
cœur ! amour ! Dieu ! Moi, je n'ai pour cela aucun nom.

Le sentiment est tout, le nom n'est que bruit et fumée qui nous voile l'éclat des cieux ». Comment Gretchen saisirait-elle cette évocation de Dieu-Nature et cette profession de foi panthéiste, si étrangère à sa simplicité ? Elle se rassure en y retrouvant « à peu près » les paroles de son curé.

D'autre part, le fond même de la tragédie de Marguerite reprend un thème cher aux « génies originaux ». Parmi les injustices sociales contre lesquelles ils se révoltent, il en est une dont l'avenir reconnaîtra le bien-fondé. Ils s'émeuvent du sort de la fille séduite : pour dissimuler sa honte, elle s'expose à la rigueur de la loi qui la punit de mort. Ils portent au théâtre ce sujet que Gœthe amplifie, ennoblit, en transformant le châtiment social en expiation volontaire. Gretchen demeure l'arbitre de son sort. Responsable, quoique indirectement, de la mort de sa mère et de son frère, meurtrière de son enfant, elle refuse de suivre celui qui l'a entraînée au mal, afin de payer de sa vie son triple crime.

Son séducteur est-il plus heureux ? L'événement l'a brisé. Le *Faust primitif* se termine sur la note pessimiste qu'en tout temps a si volontiers fait entendre la jeunesse. Dénouement provisoire, d'ailleurs. Quelle prophétie intempestive que celle de l'ami de Gœthe qui, en octobre 1774, écrivait : « *Faust* est presque fini » !

II

LE FRAGMENT DE 1790

En 1775, Gœthe quitte Francfort pour une nouvelle résidence, de nouvelles amours, un nouveau style de vie. Quelques mots résument cette métamorphose : Weimar, Madame de Stein, l'administration du duché. Ce premier séjour dure quelque dix ans. Non seulement l'évolution normale de la jeunesse à l'âge d'homme, mais tant d'influences combinées ont provoqué en lui ce changement. « Monsieur le Conseiller aulique... » Qu'ils sont loin, et les « génies originaux », et la petite Frédérique de Sesenheim, et Faust ! Gœthe comprend chaque jour davantage que, pour trouver son équilibre, il faut que l'homme accepte un ordre extérieur et une

règle de vie : « ... Nul humain ne doit se mesurer avec
les dieux. S'il se hausse jusqu'à toucher de son front les
étoiles, ses pieds incertains n'ont d'appui nulle part
et de lui se jouent nuages et vents. » (*Limites de la condition humaine*, 1779.) En art, il évolue parallèlement de
la démesure titanesque au classicisme.

Cependant, son bagage littéraire est déjà si important
qu'en 1786 il pense à donner une première édition de ses
œuvres complètes. Publiera-t-il tel quel ce *Faust* qui
n'a pas dit son dernier mot ? Lorsque, en septembre 1786,
il part ou plutôt fuit vers l'Italie, afin d'échapper à ses
fonctions officielles qui désormais l'accablent et, fait
plus grave encore, risquent d'étouffer en lui le poète,
il emporte, entre autres manuscrits, celui de *Faust*.

Or moins encore que le cercle de Weimar, l'Italie
lui offre le climat spirituel propice à l'achèvement de
cette œuvre. Il n'y fera pour le moment que quelques
retouches et quelques adjonctions. Lorsque Faust
s'entretient avec Méphisto dans son cabinet d'étude, il
présente à son interlocuteur la somme de ses ambi-
tions :

« ... ce qui est le partage de l'humanité tout entière,
je veux le concentrer dans le plus profond de mon être,
je veux, par mon esprit, atteindre ce qu'elle a de plus
élevé et de plus secret ; je veux entasser sur mon cœur
tout le bien et tout le mal qu'elle contient... »

Pour que Faust puisse séduire Marguerite, il fallait
d'autre part qu'il se présentât autrement que sous
l'aspect d'un savant morose, plus ou moins chenu et
barbu, d'où cette *Cuisine de sorcière*. Faust n'y pénètre
qu'avec répugnance. Il y contemple pourtant dans le
miroir magique l'image féminine de la beauté parfaite,
il y boit le philtre qui lui permettra « de voir dans
chaque femme une Hélène » et il en sort sous la forme
d'un élégant cavalier.

À lire cet « amas d'extravagances », tout ce bric-à-brac
fantasmagorique, qui penserait qu'il fut écrit à Rome,
dans les jardins de la villa Borghèse ? Il paraît que Gœthe
se gaussait des critiques qui s'ingéniaient à chercher un
sens secret sous les formules cocasses. Quoiqu'il y ait
introduit çà et là des allusions à l'actualité, il faut y
voir avant tout le jeu souverain d'un artiste. Parce que
Gœthe pénètre jusqu'aux arcanes de l'esprit et du cœur
humains, on lui refuse volontiers le droit de s'amuser.
Il sait le prendre, pourtant, et avec quelle verve ! Rap-

pelons-nous la chanson des paysans dans la promenade
du jour de Pâques, ou la chanson du rat, ou celle de la
puce dans la taverne d'Auerbach.

La scène qui s'intitule *Forêts et cavernes* date de la
même période. Elle se compose d'un monologue de
Faust qui peut surprendre. Il y chante un hymne en
hommage à l'Esprit de la terre. Or nous l'avons entendu
crier sa déception lorsque l'Esprit l'a quitté sur un
sarcasme. En réalité, Gœthe a ici traduit les sentiments
nouveaux à l'égard de la nature que lui ont inspirés ses
études scientifiques :

« Sublime Esprit, tu m'as donné, tu m'as donné tout,
dès que je t'en ai supplié... Tu m'as livré pour royaume
la majestueuse nature et la force de la sentir, d'en jouir...
Tu as amené devant moi la longue chaîne des vivants,
et tu m'as instruit à reconnaître mes frères dans le
buisson tranquille, dans l'air et dans les eaux. »

Cependant, Méphisto réussit à l'arracher à ses nobles
pensées pour l'entraîner de nouveau vers la sensualité.

Dans le texte publié en 1790 au tome VII des *Œuvres
complètes*, cette scène, qui prenait place après la séduction de Marguerite, rendait Faust assez odieux : comment
admettre sa joie contemplative alors que la pauvre fille
qu'il a aimée se débat contre son malheur ? La digression
est mieux amenée dans la rédaction définitive où elle se
situe avant la séduction : Faust a quitté Marguerite
pour se reprendre au sein de la nature et fuir, s'il se
peut, la tentation.

Les contemporains furent assez déconcertés en lisant
ce *Faust*, resté à l'état de fragment, qui prenait fin après
les obsèques de la mère de Marguerite et n'avait donc
pas de dénouement. Il leur fallut attendre bien des
années avant de lire l'œuvre complète.

III

LA RÉDACTION DÉFINITIVE
DU PREMIER « FAUST »

Gœthe a parlé de son séjour en Italie comme d'une
nouvelle naissance. La réadaptation à Weimar se révèle
difficile. Sa liaison avec Christiane Vulpius, qui devien-

dra plus tard sa femme, l'a brouillé avec Madame de Stein. Son admiration exclusive de l'antiquité et sa fidélité aux règles classiques font de lui presque un étranger dans son ancien milieu.

Schiller, qui vit tout près de lui, en est resté aux conceptions littéraires que Gœthe a formellement répudiées. Six ans se passent avant que le hasard d'une rencontre les rapproche (juillet 1794). On dirait que, si différents et pourtant si bien faits pour se comprendre, ils veulent rattraper le temps perdu. Ils échangent constamment idées et projets, ils se lient d'une amitié plus intellectuelle que sentimentale, salutaire pour tous deux.

Schiller a pressenti les promesses contenues dans le *Faust* inachevé. Dès le 29 novembre de la même année, il demande à Gœthe de lui communiquer les textes non encore imprimés, ce qu'il a lu de l'œuvre révélant « la force et la plénitude du génie ». Gœthe ne se sent pas le courage de retrouver Faust, « d'ouvrir le paquet qui le tient prisonnier ». En 1797 seulement, il se remet à la tâche et demande à Schiller d'y réfléchir pendant ses nuits d'insomnie. Celui-ci pense que la nature du sujet contraindra son auteur à le traiter d'une manière philosophique en même temps que poétique. Heureusement, Gœthe ne répond qu'à demi à cette suggestion, mais il revient « avec plaisir et amour dans ce monde nébuleux d'idées et de symboles ». Il prend la résolution de terminer ce qui a été à demi élaboré, d'en faire un tout en le combinant avec les scènes déjà publiées. L'idée centrale se dégage peu à peu. Il établit un schéma, malheureusement perdu, qui comprenait sans doute aussi le plan du second *Faust*. Il n'y travaille que par intermittences, car il est sollicité par d'autres tâches et gêné aussi par la difficulté d'établir une harmonie entre cette œuvre ancienne, d'inspiration si profondément germanique, et son idéal artistique actuel. Il se résigne pourtant à ces disparates. En 1808, dans une nouvelle édition de ses œuvres complètes, paraît la première partie de *Faust* telle que nous la lisons aujourd'hui.

Après l'émouvante dédicace de Gœthe à ses amis d'autrefois, l'œuvre s'ouvre par le Prologue sur le théâtre. Le Directeur, le Poète et le Bouffon défendent leurs points de vue respectifs. Le Directeur pense à la recette, le Poète tremble de voir sa pensée méconnue par la foule, le Bouffon reconnaît leurs droits au senti-

ment et à la raison, mais il souhaite que la fantaisie ait
aussi sa part.

D'une tout autre inspiration, le Prologue dans le ciel
nous situe d'emblée au cœur du sujet. Gœthe, qui
connaît bien la Bible, s'est souvenu du Livre de Job.
Le Seigneur et Méphisto dialoguent sur Faust. Si Dieu
le reconnaît comme son serviteur, le Malin ironise en
constatant qu'il le sert « d'une manière étrange ». « Il
demande au ciel ses plus belles étoiles et à la terre ses
joies les plus sublimes, mais rien de loin ni de près
ne suffit à calmer la tempête de ses désirs. »

Au-delà du destin personnel de Faust, celui de l'âme
humaine est ici en question. En quelques phrases, les
deux interlocuteurs posent le problème du bien et du
mal. Dieu a voulu l'homme libre, c'est-à-dire sujet à
l'erreur. Il a mis aussi en lui le désir du bonheur que lui
seul, Dieu, peut combler, et même si l'homme pèche
par faiblesse, c'est l'Absolu qu'il cherche sans le savoir
à travers ses égarements. Méphisto, « l'esprit qui toujours nie », a pour rôle de l'aiguillonner et l'empêche
ainsi de s'endormir dans la paresse. Ainsi, voulant toujours le mal, il crée malgré lui toujours le bien.

Dans la rédaction définitive, les scènes du cabinet
d'étude se sont aussi singulièrement enrichies. La désil-
lusion éprouvée par Faust après l'apparition de l'Esprit
de la terre le pousse ici jusqu'à la tentation du suicide,
popularisée par l'air de Gounod : « Salut, ô mon dernier
matin ! » Il suffisait à Gœthe de réveiller en lui le souvenir de Werther pour permettre à Faust de crier sa
lassitude et son dégoût. Les cloches de Pâques, les chœurs
des anges, des disciples et des saintes femmes le
détournent de son projet. Vient ensuite la merveilleuse
scène de la promenade du jour de Pâques où le démon
s'approche pour la première fois de lui sous la forme
d'un chien noir.

L'essentiel de cette version définitive se concentre
dans la scène du pacte. A la vieille croyance populaire
qui veut que l'homme puisse faire de Satan son serviteur ici-bas, à condition de lui laisser son âme pour
l'éternité, Gœthe a donné une profondeur qui corres-
pond aux paroles de Dieu dans le Prologue au ciel.
Faust sait que « deux âmes » habitent en son sein, l'une
attachée à la terre, l'autre avide d'infini. Son amour
pour Gretchen procède de l'une et de l'autre, d'où
son conflit intérieur. Méphisto peut rassasier celle-là,

lui faire « manger de la poussière avec délices », comme il l'a annoncé à Dieu, il ne sera jamais capable de satisfaire celle-ci :

« Et qu'as-tu à donner, pauvre démon ? L'esprit d'un homme, en ses hautes inspirations, fut-il jamais conçu par tes pareils ? »

Sûr de lui, Faust relève le défi de Méphisto :

« Si tu peux me flatter au point que je me plaise à moi-même, si tu peux m'abuser par des jouissances, que ce soit pour moi le dernier jour !... Si je dis à l'instant : Reste donc ! tu me plais tant ! Alors tu peux m'entourer de liens... Alors la cloche des morts peut résonner, alors tu es libre de ton service... »

Gœthe a inséré dans le texte de *Faust* deux scènes que l'on peut dire « gratuites », leur lien avec l'action étant assez lâche. Il est vrai que, selon les dernières paroles prononcées par le Directeur du théâtre, l'œuvre devait nous transporter du ciel à l'enfer en passant par le monde. Gœthe nous a déjà conduits près du trône de Dieu. Avec la Nuit de Walpurgis, nous voici maintenant sur le Brocken, cette montagne du Harz où les sorcières ont rendez-vous avec leur maître Satan dans la nuit du 30 avril au 1er mai. Plus encore que la Cuisine de la sorcière, l'évocation de ce sabbat a permis à Gœthe de déployer toutes les richesses de son humour fantaisiste poussé souvent jusqu'au grotesque, voire au grossier. Parmi ces sortilèges, Faust aperçoit une « fille pâle et belle » qui semble marcher les fers aux pieds, un fil rouge autour du cou. Méphisto cherche à le persuader qu'il s'agit là de la Méduse, non de la vision de Marguerite.

Suit immédiatement le Songe de la Nuit de Walpurgis où paraissent quelques personnages de Shakespeare, Obéron, Titania, Puck, Ariel. Les contemporains y reconnaissaient de nombreuses allusions satiriques. Nous y perdons quant à nous un peu pied. Contentons-nous d'y voir un nouvel amusement de Gœthe. Sans doute, dans sa pensée, Méphisto présentait-il à Faust cette fantasmagorie pour chasser la vision tragique de Gretchen. La poésie aussi y trouve son compte. Tout va d'ailleurs bien vite s'évanouir :

Le vent frémit dans les roseaux
Et tout s'enfuit comme un vain songe.

Nous nous retrouvons dans la campagne par un jour sombre. Dévoré de remords, Faust accable Méphisto de reproches et d'injures. Il exige de son compagnon qu'il l'aide à sauver Marguerite. En la montrant en proie à une semi-démence, Gœthe s'est sans doute souvenu d'Ophélie. Au cours de leur galop sur leurs chevaux magiques, ils passent devant le lieu de supplice où Marguerite va bientôt mourir, où s'affairent les mauvais esprits qui hantent les gibets.

Gœthe a remanié le texte final de l'*Urfaust*. L'admirable scène du cachot se présente maintenant en vers. Le bruit de la porte a fait croire à Marguerite que le bourreau venait déjà la chercher, puis elle reconnaît la voix du bien-aimé. Elle se rappelle comme un rêve ses jours de bonheur, comme un cauchemar les drames qui l'ont amenée ici. Va-t-elle suivre Faust ? L'entrée de Méphisto réveille l'horreur que celui-ci lui a toujours inspirée — « C'est moi qu'il veut ! » — et le sentiment de son péché. Elle se livre à la justice humaine pour satisfaire à la justice de Dieu, avec l'espoir du pardon : « Je t'appartiens, père, sauve-moi ! Anges, entourez-moi... » « Elle est jugée », dit Méphisto. L'*Urfaust* se terminait sur cette parole inquiétante. « Elle est sauvée », répond maintenant une voix d'en-haut. L'air qui fait quelque peu passer sur trop de mélodies douceâtres dans l'opéra de Gounod, par trois fois répété sur un ton toujours plus haut, traduit cette ascension de l'âme : « Anges purs, anges radieux... »

III

LE SECOND « FAUST »

Quoique nous ne donnions ci-dessous que le premier *Faust* qui s'arrête après la scène du cachot, nous ne pouvons laisser le lecteur dans l'ignorance du sort final de notre héros.

Une fois encore, Gœthe a interrompu son travail durant de longues années. Il y songe toutefois, il a même ébauché d'autres scènes. En 1824, il est sur le point d'insérer dans la nouvelle édition de ses œuvres tout ce qu'il a déjà écrit concernant Faust. Son nouvel ami et confident Eckermann insiste pour qu'il n'en fasse rien et se remettre à la tâche. Obéissant à cette suggestion, Gœthe reprend son travail en février 1825 — il aura bientôt soixante-seize ans. Le second *Faust* ne sera terminé qu'en août 1831, quelques mois avant sa mort.

Combien de temps s'est-il écoulé depuis la tragédie de Marguerite ? Nous l'ignorons, mais Faust reste anéanti par l'événement. Nous le retrouvons dans une « région charmante ». Ariel et les elfes chantent et planent autour de lui pour lui verser l'oubli. Il va commencer une vie nouvelle.

Le voici au palais de « l'Empereur », sans autre précision de temps ni de lieu. L'Empire est en pleine décadence, les finances en déplorable état. Méphisto promet d'y remédier. En attendant, l'Empereur, soucieux surtout de son plaisir, assiste aux réjouissances du Mardi gras. Gœthe a présenté ainsi une somptueuse mascarade, mêlant les souvenirs des plus belles fêtes de Weimar aux réminiscences du Carnaval romain. Méphisto fait pleuvoir la fortune sous la forme d'assignats.

L'Empereur, qui tient Faust pour un magicien, lui demande d'évoquer Hélène et Pâris. Méphisto est impuissant à pénétrer dans le monde de la beauté classique. Faust descend chez les « Mères », mot mystérieux pour Gœthe lui-même, sur lequel les exégètes ont discuté sans fin : peut-être les idées platoniciennes ? peut-être les monades de Leibniz dont chacune constitue l'essence de l'individu ?

Hélène représente en même temps la beauté classique et la jouissance sensuelle. Faust veut la saisir, il n'atteint qu'un fantôme. Une explosion. Faust tombe inanimé. Méphisto le transporte dans son laboratoire où il fabrique un homme artificiel, Homunculus, puis Faust poursuit sa recherche d'Hélène dans la Nuit de Walpurgis classique, réplique de l'autre. Là encore, Gœthe, qui porte tant d'intérêt aux sciences de la nature, a fait de nombreuses allusions à ses propres théories et à celles de ses adversaires sur la vie organique et l'évolution du cosmos.

Faust obtient de Perséphone qu'elle ressuscite Hélène et ses suivantes. Sous la forme d'un chevalier allemand, il la conquiert, ce qui symbolise l'union du génie grec et du génie germanique. Ils ont un fils, Euphorion, incarnation de la poésie moderne et de sa démesure dont Byron était le type même aux yeux de Gœthe.

Euphorion croit avoir des ailes. Il s'élance dans les airs et s'écrase — solennel avertissement du sage : malheur à celui qui ne sait pas modérer ses désirs! En mourant, Euphorion appelle sa mère qui le rejoint, ne laissant à Faust que son vêtement et son voile. Celui-ci lui adresse en quelques mots un émouvant adieu et s'attarde plus longuement au souvenir de celle qui fut « l'amour de son aurore ». Donc Hélène et Marguerite. Et nous ignorerons toujours quels enchantements affleurent ainsi à la mémoire de Gœthe, « quels trésors d'autrefois jaillissent au fond de son cœur ». Gretchen, la toute première? Kätchen? Lotte? Lili? Charlotte de Stein? Christiane? Minna? Marianne? Ulrique, la plus tardivement, mais non la moins passionnément chérie? Comme Faust, l'éternel amoureux dit adieu à l'amour.

Faust subira maintenant la tentation de la puissance.

L'Empire va s'effondrer dans l'anarchie. Les ennemis intérieurs ont suscité un anti-César. Grâce à Méphisto, qui seconde Faust, l'Empereur sort vainqueur de la guerre. Comme récompense, Faust obtient le fief maritime qu'il convoite, où il pourra déployer son activité.

Nous approchons du dénouement.

Très vieux, Faust possède désormais de vastes terres qu'il a conquises sur l'océan. Orgueilleux de sa réussite, il semble être redevenu le titan de jadis qu'il n'a d'ailleurs jamais complètement cessé d'être. Il se sent cependant limité dans ses droits de maître par un vieux couple, nommé symboliquement Philémon et Baucis, qui refuse de lui céder son modeste domaine, même contre une généreuse compensation. Toujours à l'affût des velléités mauvaises de Faust, fussent les plus secrètes, Méphisto met le feu à la demeure des deux vieillards qui succombent.

Telle est la dernière mauvaise action de Faust. Il renonce définitivement à la magie.

Il voit venir à lui quatre femmes en gris qui ont nom Pauvreté, Dette, Détresse, Souci. Celle-ci a seule accès dans la demeure des puissants. Elle lui souffle au visage et le rend aveugle : « La nuit semble descendre de plus en plus profonde, mais en moi brille une claire lumière. »

Faust appelle ses valets pour qu'ils mènent à bien l'œuvre qu'il a conçue. Ce sont les serviteurs de Méphisto, les hideux lémures, squelettes auxquels s'accrochent encore quelques lambeaux de chair. Le cliquetis des bêches réjouit l'oreille de Faust. Or les lémures creusent sa tombe. Dans sa cécité, il a la vision des générations qui vivront heureuses sur ce domaine, à condition qu'elles sachent le défendre contre la mer toujours menaçante : « C'est la suprême leçon de la sagesse; celui-là seul mérite la liberté et la vie qui doit chaque jour les conquérir. »

« Je voudrais voir un tel fourmillement, vivre sur un sol libre avec un peuple libre. A l'instant qui passe je pourrais dire : Arrête-toi donc, tu es si beau!... Dans le pressentiment d'un si noble bonheur, je jouis mainte-nant de l'instant suprême. »

Il meurt.

« Je pourrais dire... » Un conditionnel. Ainsi, selon les termes mêmes du pacte, Méphistophélès n'a pas gagné son pari. Et se pourrait-il que l'activité désintéressée de Faust, la perspective du bonheur qu'il procurera *aux autres* entraînent sa damnation ?

Les anges descendent, luttent contre les démons. Le ciel s'entrouvre. Les cantiques des bienheureux alternent avec les chœurs des anges qui « emportent l'essence immortelle de Faust ». En écho aux paroles du Seigneur à Méphisto dans le Prologue, ils chantent : « Celui qui toujours cherche en un pénible effort, nous pouvons le sauver. »

La Vierge apparaît, entourée des pénitentes. Parmi elles, l'une fut jadis nommée Marguerite. Et il est bien émouvant de trouver, dans la prière à la Vierge de Gretchen sauvée, une correspondance avec les paroles qu'elle lui adressait jadis du fond de sa détresse : « Abaisse, abaisse, ô sans Pareille, ô Rayonnante, un regard favorable sur mon bonheur. Celui que j'aimais jadis, que rien ne trouble plus, le voici qui revient. » La douleur, le repentir passés se sont transmués en joie. Et le chœur mystique de conclure :

« Tout l'Ephémère n'est qu'un symbole; l'Imparfait trouve ici son accomplissement; l'Ineffable ici se réalise. L'Eternel féminin nous attire en haut. »

Gœthe commenta ainsi son œuvre :

« En Faust une activité toujours plus haute et plus pure jusqu'à la fin, et l'amour éternel qui vient d'en haut à son secours. Ceci est absolument en harmonie

avec notre conception religieuse selon laquelle nous
sommes sauvés non seulement par nos propres forces,
mais par la grâce divine qui s'y surajoute. » (*A Eckermann*, 6 juin 1831.)

Ayant mis le point à son second *Faust*, Gœthe le
scella pour qu'il ne fût livré au public qu'après sa mort.

IV

LA TRADUCTION
DE GÉRARD DE NERVAL

Peu après la publication de la première partie de *Faust*
en 1808, l'œuvre de Gœthe avait éveillé l'attention des
lettrés. Madame de Staël en avait parlé dans son livre
De l'Allemagne publié en 1810, mis au pilon par la
police de Napoléon et réimprimé en 1814. Elle en donne
une analyse quelque peu moralisante, en traduit plusieurs passages. Son jugement est assez réservé. A côté
de compliments, des restrictions sérieuses. Il ne faut y
chercher « ni le goût, ni la mesure, ni l'art qui choisit
et qui termine ». Elle déclare pour conclure que cette
pièce « n'est pas un bon modèle... Il est à désirer que de
telles productions ne se renouvellent pas ».

En 1823, deux traductions paraissent, signées l'une
d'Albert Stapfer, l'autre de Sainte-Aulaire. En pleine
période romantique, la France cultivée ne peut que
goûter ce drame où les puissances de l'au-delà jouent un
si grand rôle. *Faust* est « dans l'air ». Divers théâtres
parisiens en préparent des adaptations.

Selon une anecdote qui paraît authentique, Gérard
de Nerval aurait été attiré dès son enfance par le personnage de Faust rencontré dans la traduction du roman de
Klinger. On conçoit que, épris de sciences occultes, il
soit en son adolescence tenté par le sujet. Son père lui a
enseigné l'allemand. A vrai dire, ses connaissances sont
assez rudimentaires. Cependant, il n'hésite pas à entreprendre sa traduction : belle témérité de la jeunesse! Elle
porte la date de 1828. Il écrira plus tard : « Je n'avais pas
encore vingt ans lorsque je l'ai écrite, mais si elle n'est que
le résultat d'un travail assidu d'écolier, elle se trouve

empreinte aussi, dans quelques parties, de cette verve de la
jeunesse et de l'admiration qui pouvait correspondre à
l'inspiration même de l'auteur, qui termina son œuvre
étrange à l'âge de vingt-trois ans. »

Sans doute, Gérard ignore l'histoire de la composition
de l'œuvre gœthéenne et brouille les dates, mais qu'importe! S'il juge son premier travail avec une certaine
sévérité, la traduction de Stapfer, assez froide, et celle
de Sainte-Aulaire, qui mutile le texte, valaient-elles beaucoup mieux?

La préférence du public ne s'y trompa pas. Aussi,
dans une seconde édition (1835), le traducteur remania-t-il
son texte, corrigea certains contresens et surtout transcri-
vit en prose plusieurs passages précédemment écrits
en vers. Si le charme du rythme et de la rime y perdit
un peu, la fidélité y gagna. La troisième édition mainte-
nait les modifications de la seconde quant aux passages
en prose, mais les parties versifiées étaient l'objet de
nouvelles retouches généralement heureuses. C'est donc ce
texte que nous avons choisi pour la présente publication.

Cette troisième édition contenait aussi la *Légende de
Faust* — un des nombreux remaniements du *Volksbuch*,
par Widmann (1599) — traduite en français en 1603 par
Palma Cayet, et un autre appendice intitulé assez arbi-
trairement « Second Faust ».

Le second *Faust* avait paru en 1833, après la mort de
Gœthe. Gérard en donnait en 1840 un « examen analy-
tique », coupé par quelques fragments. Seul l'acte d'Hélène était traduit in extenso. L'introduction trahit une
certaine gêne devant ce second *Faust* dont l'inspiration,
« plus haute encore peut-être que celle du premier, n'a
pas toujours rencontré une forme aussi arrêtée et aussi
heureuse ». Gérard parle de la « métaphysique aventu-
reuse » de Gœthe et interprète l'œuvre d'une façon toute
personnelle où se font jour le souvenir des visions de
Swedenborg et sa propre foi en la réincarnation. Les
passages traduits par Gérard donnent du second *Faust*
une notion trop incomplète pour que nous ayons jugé
bon de les publier ici.

Deux éditions de sa traduction de *Faust* parurent
encore du vivant de Gérard, en 1850 et 1852, et plusieurs, assez nombreuses, après sa mort, quelques-unes
avec de belles illustrations.

Depuis lors, d'autres traductions de ·*Faust*, surtout
de la première partie, ont été publiées, certaines plus

fidèles à la lettre du texte que celle de Gérard. Quoique
la sienne provoque encore, çà et là, le froncement de
sourcils de germanistes pointilleux, elle reste l'une des
plus agréables pour une lecture cursive. Elle peut aussi
présenter des lettres de noblesse à rendre jaloux les plus
chevronnés des traducteurs. Gérard ne les a reçues
qu'après la mort de Gœthe et, malgré sa modestie, une
fierté bien légitime transparaît dans sa relation :

« ... C'est sans doute ce qui m'a valu la haute appro-
bation de Gœthe lui-même. Ne lui ayant jamais écrit,
ayant redouté même, de sa part, une de ces louanges
banales qu'un grand écrivain accorde volontiers à ses
admirateurs, j'ai été heureux de recevoir plusieurs
années après la mort de Gœthe le passage suivant, tiré
d'un livre de Jean-Pierre Eckermann, intitulé *Entretiens
avec Gœthe dans les dernières années de sa vie*, et publié
en 1838. »

Voici ce texte :

« Gœthe loua comme très réussie cette traduction de
Gérard quoiqu'elle fût en prose pour la majeure partie.
En allemand, dit-il, je n'aime plus lire *Faust*, mais dans
cette traduction française tout reprend fraîcheur, nou-
veauté et esprit. »

Les commentaires plus flatteurs encore que certains
biographes de Gérard ont ajoutés sont pure légende.

La traduction de Gérard de Nerval baigne dans
l'atmosphère de mélancolie et de rêve dont s'enveloppe la
personnalité de son auteur. Les romantiques français dans
l'entourage de Théophile Gautier, Alexandre Dumas,
Victor Hugo l'ont lue avec délices. Elle enthousiasma
Berlioz : « Le merveilleux livre me fascina de prime
abord; je ne le quittai plus; je le lisais sans cesse, à
table, au théâtre, dans les rues, partout. Cette traduction
en prose contenait quelques fragments versifiés, chansons, hymnes, etc. Je cédai à la tentation de les mettre
en musique. »

V

FAUST APRÈS GŒTHE
ET GÉRARD DE NERVAL

Faust n'a pas terminé sa carrière avec l'œuvre immense
de Gœthe. Personnage de la littérature universelle, il a
continué et continuera certainement à tenter écrivains,
musiciens et peintres. Gérard lui-même avait esquissé
un drame de Faust dont il avait écrit quelques scènes.
Il fait de Faust l'inventeur de l'imprimerie, selon l'une
des traditions relatives au magicien. La tentation du
suicide, les cloches de Pâques, les noms de Marguerite
et de Méphistophélès, certaines phrases même textuel-
lement reprises révèlent l'imitation.

Quelques autres noms seulement. Parmi les poètes
l'Autrichien Lenau, Chamisso — le déraciné d'origine
française — Paul Valéry. Thomas Mann a donné le
nom de *Doktor Faustus* au roman dont le principal personnage, un musicien moderne, n'a de commun avec
le héros légendaire que ses accointances diaboliques.
Parmi les musiciens — outre Berlioz — Liszt, Men-
delssohn, Schubert, Schumann, Gounod. Quant aux
innombrables peintres et illustrateurs, ils sont éclipsés par
le prestige de Delacroix. Nous avons tous en mémoire ses
lithographies tellement suggestives, en particulier la
chevauchée fantastique de Faust et de Méphistophélès vers
la prison de Marguerite, qui fut présentée à Gœthe et dont
il dit : « Il faut avouer que l'on ne se l'est pas ima-
ginée soi-même aussi parfaitement. » (*A Eckermann,*
29 novembre 1826.) Le second *Faust* n'a pas exercé sur
les arts plastiques une fascination aussi universelle.

Quelles que soient les modifications apportées au
thème, le pacte avec le diable et la tragédie de la séduction restent en général le centre des œuvres inspirées
par le personnage de Faust. Il n'est pas jusqu'au sep-
tième art qui n'ait repris le sujet dans le film de
René Clair : *La Beauté du diable.*

Constatation assez mélancolique. Le cinéaste n'est
que le troisième, après Lessing et Gœthe, qui ait terminé

l'aventure de Faust par une note optimiste. Le scepti-
cisme glacé de Valéry va dans le même sens que le
déchaînement romantique de Berlioz damnant Faust.
Il est vrai que René Clair nous montre son héros rejoi-
gnant Marguerite — dont la fantaisie de l'artiste a fait
une bohémienne — pour goûter avec elle un bonheur
tout humain, sans perspective d'au-delà. Néanmoins,
le démon est bien vaincu.

Puisse le *Faust* de Gérard dans cette nouvelle édition
procurer à ses lecteurs le plaisir que Gœthe lui-même y
trouva, et puissent aussi les mânes du pauvre Gérard
en être quelque peu consolés!

                                   Jeanne ANCELET-HUSTACHE.

FAUST

PROLOGUE SUR LE THÉATRE

LE DIRECTEUR, LE POÈTE DRAMATIQUE,
LE PERSONNAGE BOUFFON

LE DIRECTEUR

O vous dont le secours me fut souvent utile,
Donnez-moi vos conseils pour un cas difficile.
De ma vaste entreprise, ami, que pensez-vous ?
Je veux qu'ici le peuple abonde autour de nous,
Et de le satisfaire il faut que l'on se pique,
Car de notre existence il est la source unique.
Mais, grâce à Dieu, ce jour a comblé notre espoir,
Et le voici là-bas, rassemblé pour nous voir,
Qui prépare à nos vœux un triomphe facile,
Et garnit tous les bancs de sa masse immobile.
Tant d'avides regards fixés sur le rideau
Ont, pour notre début, compté sur du nouveau;
Leur en trouver est donc ma grande inquiétude :
Je sais que du sublime ils n'ont point l'habitude;
Mais ils ont lu beaucoup : il leur faut à présent
Quelque chose à la fois de fort et d'amusant.
Ah! mon spectacle, à moi, c'est d'observer la foule,
Quand le long des poteaux elle se presse et roule,
Qu'avec cris et tumulte elle vient au grand jour
De nos bureaux étroits assiéger le pourtour;
Et que notre caissier, tout fier de sa recette,
A l'air d'un boulanger dans un jour de disette...
Mais qui peut opérer un miracle si doux?
Un poète, mon cher,... et je l'attends de vous.

LE POÈTE

Ne me retracez point cette foule insensée,
Dont l'aspect m'épouvante et glace ma pensée,
Ce tourbillon vulgaire, et rongé par l'ennui,
Qui dans son monde oisif nous entraîne avec lui;
Tous ses honneurs n'ont rien qui puisse me séduire :
C'est loin de son séjour qu'il faudrait me conduire,
En des lieux où le ciel m'offre ses champs d'azur,
Où, pour mon cœur charmé, fleurisse un bonheur pur,
Où l'amour, l'amitié, par un souffle céleste,
De mes illusions raniment quelque reste...
Ah! c'est là qu'à ce cœur prompt à se consoler
Quelque chose de grand pourrait se révéler;
Car les chants arrachés à l'âme trop brûlante,
Les accents bégayés par la bouche tremblante,
Tantôt frappés de mort et tantôt couronnés,
Au gouffre de l'oubli sont toujours destinés :
Des accords moins brillants, fruits d'une longue veille,
De la postérité charmeraient mieux l'oreille;
Ce qui s'accroît trop vite est bien près de finir :
Mais un laurier tardif grandit dans l'avenir.

LE BOUFFON

Oh! la postérité! c'est un mot bien sublime!
Mais le siècle présent a droit à quelque estime,
Et, si pour l'avenir je travaillais aussi,
Il faudrait plaindre enfin les gens de ce temps-ci :
Ils montrent seulement cette honnête exigence
De vouloir s'amuser avant leur descendance...
Moi, je fais de mon mieux à les mettre en gaîté;
Plus le cercle est nombreux, plus j'en suis écouté!
Pour vous qui pouvez tendre à d'illustres suffrages,
A votre siècle aussi consacrez vos ouvrages :
Ayez le sentiment, la passion, le feu!
C'est tout... Et la folie! il en faut bien un peu.

LE DIRECTEUR

Surtout de nos décors déployez la richesse,
Qu'un tableau varié dans le cadre se presse,
Offrez un univers aux spectateurs surpris...
Pourquoi vient-on? pour voir : on veut voir à tout prix.
Sachez donc par l'EFFET conquérir leur estime,
Et vous serez pour eux un poète sublime.
Sur la masse, mon cher, la masse doit agir :
D'après son goût, chacun voulant toujours choisir,

Trouve ce qu'il lui faut où la matière abonde,
Et qui donne beaucoup donne pour tout le monde.
Que votre ouvrage aussi se divise aisément;
Un plan trop régulier n'offre nul agrément,
Le public prise peu de pareils tours d'adresse,
Et vous mettrait bien vite en pièces votre pièce.

LE POÈTE

Quels que soient du public la menace ou l'accueil,
Un semblable métier répugne à mon orgueil;
A ce que je puis voir, l'ennuyeux barbouillage
De nos auteurs du jour obtient votre suffrage.

LE DIRECTEUR

Je ne repousse pas de pareils arguments :
Qui veut bien travailler choisit ses instruments.
Pour vous, examinez ce qui vous reste à faire,
Et voyez quels sont ceux à qui vous voulez plaire.
Tout maussade d'ennui, chez nous l'un vient d'entrer;
L'autre sort d'un repas qu'il lui faut digérer;
Plusieurs, et le dégoût chez eux est encore pire,
Amateurs de journaux, achèvent de les lire :
Ainsi qu'au bal masqué, l'on entre avec fracas,
La curiosité de tous hâte les pas :
Les hommes viennent voir; les femmes, au contraire,
D'un spectacle gratis régalent le parterre.
Qu'allez-vous cependant rêver sur l'Hélicon?
Pour plaire à ces gens-là faut-il tant de façon!
Osez fixer les yeux sur ces juges terribles!
Les uns sont hébétés, les autres insensibles;
En sortant, l'un au jeu compte passer la nuit;
Un autre chez sa belle ira coucher sans bruit.
Maintenant, pauvre fou, si cela vous amuse,
Prostituez-leur donc l'honneur de votre muse!
Non!... mais, je le répète, et croyez mes discours,
Donnez-leur du nouveau, donnez-leur-en toujours;
Agitez ces esprits qu'on ne peut satisfaire...
Mais qu'est-ce qui vous prend? est-ce extase, colère?

LE POÈTE

Cherche un autre valet! tu méconnais en vain
Le devoir du poète et son emploi divin !
Comment les cœurs à lui viennent-ils se soumettre?
Comment des éléments dispose-t-il en maître?

N'est-ce point par l'accord, dont le charme vainqueur
Reconstruit l'univers dans le fond de son cœur ?
Tandis que la nature à ses fuseaux démêle
Tous les fils animés de sa trame éternelle ;
Quand les êtres divers, en tumulte pressés,
Poursuivent tristement les siècles commencés ;
Qui sait assujettir la matière au génie ?
Soumettre l'action aux lois de l'harmonie ?
Dans l'ordre universel, qui sait faire rentrer
L'être qui se révolte ou qui peut s'égarer ?
Qui sait, par des accents plus ardents ou plus sages,
Des passions du monde émouvoir les orages,
Ou dans des cœurs flétris par les coups du destin,
D'un jour moins agité ramener le matin ?
Qui, le long du sentier foulé par une amante,
Vient semer du printemps la parure éclatante ?
Qui peut récompenser les arts, et monnoyer
Les faveurs de la gloire en feuilles de laurier ?
Qui protège les dieux ? qui soutient l'Empyrée ?...
La puissance de l'homme en nous seuls déclarée.

LE BOUFFON

C'est bien, je fais grand cas du génie et de l'art :
Usez-en, mais laissez quelque chose au Hasard,
C'est l'amour, c'est la vie... on se voit, on s'enchaîne,
Qui sait comment ? La pente est douce et vous entraîne ;
Puis, sitôt qu'au bonheur on s'est cru destiné,
Le chagrin vient : voilà le roman terminé !...
Tenez, c'est justement ce qu'il vous faudra peindre :
Dans l'existence, ami, lancez-vous sans rien craindre ;
Tout le monde y prend part, et fait, sans le savoir,
Des choses que vous seul pourrez comprendre et voir !
Mettez un peu de vrai parmi beaucoup d'images,
D'un seul rayon de jour colorez vos nuages ;
Alors, vous êtes sûr d'avoir tout surmonté ;
Alors, votre auditoire est ému, transporté !...
Il leur faut une glace et non une peinture.
Qu'ils viennent tous les soirs y mirer leur figure :
N'oubliez pas l'amour, c'est par là seulement
Qu'on soutient la recette et l'applaudissement.
Allumez un foyer durable, où la jeunesse
Vienne puiser des feux et les nourrir sans cesse :
A l'homme fait ceci ne pourrait convenir,
Mais comptez sur celui qui veut le devenir.

LE POÈTE

Eh bien! rends-moi ces temps de mon adolescence
Où je n'étais moi-même encor qu'en espérance;
Cet âge si fécond en chants mélodieux,
Tant qu'un monde pervers n'effraya point mes yeux;
Tant que, loin des honneurs, mon cœur ne fut avide
Que des fleurs, doux trésors d'une vallée humide!
Dans mon songe doré, je m'en allais chantant;
Je ne possédais rien, j'étais heureux pourtant!
Rends-moi donc ces désirs qui fatiguaient ma vie,
Ces chagrins déchirants, mais qu'à présent j'envie,
Ma jeunesse! ...En un mot, sache en moi ranimer
La force de haïr et le pouvoir d'aimer!

LE BOUFFON

Cette jeunesse ardente, à ton âme si chère,
Pourrait, dans un combat, t'être fort nécessaire,
Ou bien si la beauté t'accordait un souris,
Si de la course encor tu disputais le prix,
Si d'une heureuse nuit tu recherchais l'ivresse...
Mais toucher une lyre avec grâce et paresse,
Au but qu'on te désigne arriver en chantant,
Vieillard, c'est là de toi tout ce que l'on attend.

LE DIRECTEUR

Allons! des actions!... les mots sont inutiles;
Gardez pour d'autres temps vos compliments futiles:
Quand vous ne faites rien, à quoi bon, s'il vous plaît,
Nous dire seulement ce qui doit être fait?
Usez donc de votre art, si vous êtes poète:
La foule veut du neuf, qu'elle soit satisfaite!
A contenter ses goûts il faut nous attacher;
Qui tient l'occasion ne doit point la lâcher.
Mais, à notre public tout en cherchant à plaire,
C'est en osant beaucoup qu'il faut le satisfaire;
Ainsi, ne m'épargnez machines ni décors,
A tous mes magasins ravissez leurs trésors,
Semez à pleines mains la lune, les étoiles,
Les arbres, l'Océan, et les rochers de toiles;
Peuplez-moi tout cela de bêtes et d'oiseaux;
De la création déroulez les tableaux,
Et passez au travers de la nature entière,
Et de l'enfer au ciel, et du ciel à la terre.

PROLOGUE DANS LE CIEL

LE SEIGNEUR, LES MILICES CÉLESTES,
ensuite MÉPHISTOPHÉLÈS
(Les trois archanges s'avancent.)

RAPHAEL

Le soleil résonne sur le mode antique dans le chœur harmonieux des sphères, et sa course ordonnée s'accomplit avec la rapidité de la foudre.

Son aspect donne la force aux anges, quoiqu'ils ne puissent le pénétrer. Les merveilles de la création sont inexplicables et magnifiques comme à son premier jour.

GABRIEL

La terre, parée, tourne sur elle-même avec une incroyable vitesse. Elle passe tour à tour du jour pur de l'Eden aux ténèbres effrayantes de la nuit.

La mer écumante bat de ses larges ondes le pied des rochers, et rochers et mers sont emportés dans le cercle éternel des mondes.

MICHEL

La tempête s'élance de la terre aux mers et des mers à la terre, et les ceint d'une chaîne aux secousses furieuses; l'éclair trace devant la foudre un lumineux sentier. Mais plus haut tes messagers, Seigneur, adorent l'éclat paisible de ton jour.

TOUS TROIS

Son aspect donne la force aux anges, quoiqu'ils ne puissent le pénétrer. Les merveilles de la création sont inexplicables et magnifiques comme à son premier jour.

MÉPHISTOPHÉLÈS

Maître, puisqu'une fois tu te rapproches de nous,
puisque tu veux connaître comment les choses vont en
bas, et que d'ordinaire tu te plais à mon entretien, je
viens vers toi dans cette foule. Pardonne si je m'exprime
avec moins de solennité : je crains bien de me faire huer
par la compagnie; mais le pathos dans ma bouche te
ferait rire assurément, si depuis longtemps tu n'en avais
perdu l'habitude. Je n'ai rien à dire du soleil et des
sphères, mais je vois seulement combien les hommes se
tourmentent. Le petit dieu du monde est encore de la
même trempe et bizarre comme au premier jour. Il
vivrait, je pense, plus convenablement, si tu ne lui avais
frappé le cerveau d'un rayon de la céleste lumière. Il a
nommé cela raison, et ne l'emploie qu'à se gouverner
plus bêtement que les bêtes. Il ressemble (si ta Seigneurie
le permet) à ces cigales aux longues jambes, qui s'en vont
sautant et voletant dans l'herbe, en chantant leur vieille
chanson. Et s'il restait toujours dans l'herbe! mais non,
il faut qu'il aille encore donner du nez contre tous les
tas de fumier.

LE SEIGNEUR

N'as-tu rien de plus à nous dire? ne viendras-tu jamais
que pour te plaindre? Et n'y a-t-il selon toi rien de
bon sur la terre?

MÉPHISTOPHÉLÈS

Rien, Seigneur : tout y va parfaitement mal, comme
toujours; les hommes me font pitié dans leurs jours de
misère, au point que je me fais conscience de tourmenter
cette pauvre espèce.

LE SEIGNEUR

Connais-tu Faust?

MÉPHISTOPHÉLÈS

Le docteur?

LE SEIGNEUR

Mon serviteur.

MÉPHISTOPHÉLÈS

Sans doute. Celui-là vous sert d'une manière étrange.
Chez ce fou rien de terrestre, pas même le boire et le
manger. Toujours son esprit chevauche dans les espaces,

et lui-même se rend compte à moitié de sa folie. Il demande au ciel ses plus belles étoiles et à la terre ses joies les plus sublimes, mais rien de loin ni de près ne suffit à calmer la tempête de ses désirs.

LE SEIGNEUR

Il me cherche ardemment dans l'obscurité, et je veux bientôt le conduire à la lumière. Dans l'arbuste qui verdit, le jardinier distingue déjà les fleurs et les fruits qui se développeront dans la saison suivante.

MÉPHISTOPHÉLÈS

Voulez-vous gager que celui-là, vous le perdrez encore ? Mais laissez-moi le choix des moyens pour l'entraîner doucement dans mes voies.

LE SEIGNEUR

Aussi longtemps qu'il vivra sur la terre, il t'est permis de l'induire en tentation. Tout homme qui marche peut s'égarer.

MÉPHISTOPHÉLÈS

Je vous remercie. J'aime avoir affaire aux vivants. J'aime les joues pleines et fraîches. Je suis comme le chat, qui ne se soucie guère des souris mortes.

LE SEIGNEUR

C'est bien, je le permets. Ecarte cet esprit de sa source, et conduis-le dans ton chemin, si tu peux ; mais sois confondu, s'il te faut reconnaître qu'un homme de bien, dans la tendance confuse de sa raison, sait distinguer et suivre la voie étroite du Seigneur.

MÉPHISTOPHÉLÈS

Il ne la suivra pas longtemps, et ma gageure n'a rien à craindre. Si je réussis, vous me permettrez bien d'en triompher à loisir. Je veux qu'il mange la poussière avec délices, comme le serpent mon cousin.

LE SEIGNEUR

Tu pourras toujours te présenter ici librement. Je n'ai jamais haï tes pareils. Entre les esprits qui nient, l'esprit de ruse et de malice me déplaît le moins de tous. L'activité de l'homme se relâche trop souvent ; il est enclin à la paresse, et j'aime à lui voir un compagnon actif, inquiet,

et qui même peut créer au besoin comme le diable. Mais
vous, les vrais enfants du ciel, réjouissez-vous dans la
beauté vivante où vous nagez; que la puissance qui vit
et opère éternellement vous retienne dans les douces
barrières de l'amour, et sachez affermir dans vos pensées
durables les tableaux vagues et changeants de la création. *(Le ciel se ferme, les archanges se séparent.)*

MÉPHISTOPHÉLÈS

J'aime à visiter de temps en temps le vieux Seigneur,
et je me garde de rompre avec lui. C'est fort bien, de la
part d'un aussi grand personnage, de parler lui-même au
diable avec tant de bonhomie.

LA NUIT

*(Dans une chambre à voûte élevée, étroite, gothique. Faust,
inquiet, est assis devant son pupitre.)*

FAUST

Philosophie, hélas! jurisprudence, médecine, et toi
aussi, triste théologie!... je vous ai donc étudiées à fond
avec ardeur et patience : et maintenant me voici là,
pauvre fou, tout aussi sage que devant. Je m'intitule, il
est vrai, Maître, Docteur, et, depuis dix ans, je promène
çà et là mes élèves par le nez. — Et je vois bien que nous
ne pouvons rien connaître!... Voilà ce qui me brûle le
sang! J'en sais plus, il est vrai, que tout ce qu'il y a de
sots, de docteurs, de maîtres, d'écrivains et de moines au
monde! Ni scrupule, ni doute ne me tourmentent plus!
Je ne crains rien du diable, ni de l'enfer; mais aussi toute
joie m'est enlevée. Je ne crois pas savoir rien de bon en
effet, ni pouvoir rien enseigner aux hommes pour les
améliorer et les convertir. Aussi n'ai-je ni bien, ni argent,
ni honneur, ni domination dans le monde : un chien ne
voudrait pas de la vie à ce prix! Il ne me reste désormais
qu'à me jeter dans la magie. Oh! si la force de l'esprit et de
la parole me dévoilait les secrets que j'ignore, et si je
n'étais plus obligé de dire péniblement ce que je ne sais
pas; si enfin je pouvais connaître tout ce que le monde
cache en lui-même, et, sans m'attacher davantage à des
mots inutiles, voir ce que la nature contient de secrète
énergie et de semences éternelles! Astre à la lumière
argentée, lune silencieuse, daigne pour la dernière fois
jeter un regard sur ma peine!... j'ai si souvent la nuit
veillé près de ce pupitre! C'est alors que tu m'apparaissais
sur un amas de livres et de papiers, mélancolique amie!
Ah! que ne puis-je, à ta douce clarté, gravir les hautes
montagnes, errer dans les cavernes avec les esprits,
danser sur le gazon pâle des prairies, oublier toutes les

misères de la science, et me baigner rajeuni dans la fraîcheur de ta rosée!

Hélas! et je languis encore dans mon cachot! Misérable trou de muraille, où la douce lumière du ciel ne peut pénétrer qu'avec peine à travers ces vitrages peints, à travers cet amas de livres poudreux et vermoulus, et de papiers entassés jusqu'à la voûte. Je n'aperçois autour de moi que verres, boîtes, instruments, meubles pourris, héritage de mes ancêtres... Et c'est là ton monde, et cela s'appelle un monde!

Et tu demandes encore pourquoi ton cœur se serre dans ta poitrine avec inquiétude, pourquoi une douleur secrète entrave en toi tous les mouvements de la vie! Tu le demandes!... Et au lieu de la nature vivante dans laquelle Dieu t'a créé, tu n'es environné que de fumée et moisissure, dépouilles d'animaux et ossements de morts!

Délivre-toi! Lance-toi dans l'espace! Ce livre mystérieux, tout écrit de la main de Nostradamus, ne suffit-il pas pour te conduire? Tu pourras connaître alors le cours des astres; alors, si la nature daigne t'instruire, l'énergie de l'âme te sera communiquée comme un esprit à un autre esprit. C'est en vain que, par un sens aride, tu voudrais ici t'expliquer les signes divins... Esprits qui nagez près de moi, répondez-moi, si vous m'entendez! *(Il frappe le livre, et considère le signe du macrocosme.)* Ah! quelle extase à cette vue s'empare de tout mon être! Je crois sentir une vie nouvelle, sainte et bouillante, circuler dans mes nerfs et dans mes veines. Sont-ils tracés par la main d'un Dieu, ces caractères qui apaisent les douleurs de mon âme, enivrent de joie mon pauvre cœur, et dévoilent autour de moi les forces mystérieuses de la nature? Suis-je moi-même un dieu? Tout me devient si clair! Dans ces simples traits, le monde révèle à mon âme tout le mouvement de sa vie, toute l'énergie de sa création. Déjà je reconnais la vérité des paroles du sage: «Le monde des esprits n'est point fermé; ton sens est assoupi, ton cœur est mort. Lève-toi, disciple, et va baigner infatigablement ton sein mortel dans les rayons pourprés de l'aurore!» *(Il regarde le signe.)* Comme tout se meut dans l'univers! Comme tout, l'un dans l'autre, agit et vit de la même existence! Comme les puissances célestes montent et descendent en se passant de mains en mains les seaux d'or! Du ciel à la terre, elles répandent une rosée qui rafraîchit le sol aride, et l'agitation de leurs ailes remplit les espaces sonores d'une ineffable harmonie.

Quel spectacle! Mais, hélas! ce n'est qu'un spectacle! Où te saisir, nature infinie? Ne pourrai-je donc aussi presser tes mamelles, où le ciel et la terre demeurent suspendus? Je voudrais m'abreuver de ce lait intarissable... mais il coule partout, il inonde tout, et moi je languis vainement après lui! *(Il frappe le livre avec dépit, et considère le signe de l'Esprit de la terre.)* Comme ce signe opère différemment sur moi! Esprit de la terre, tu te rapproches; déjà je sens mes forces s'accroître; déjà je pétille comme une liqueur nouvelle: je me sens le courage de me risquer dans le monde, d'en supporter les peines et les prospérités; de lutter contre l'orage, et de ne point pâlir des craquements de mon vaisseau. Des nuages s'entassent au-dessus de moi! — La lune cache sa lumière... la lampe s'éteint! elle fume!... Des rayons ardents se meuvent autour de ma tête. Il tombe de la voûte un frisson qui me saisit et m'oppresse. Je sens que tu t'agites autour de moi, Esprit que j'ai invoqué! Ah! comme mon sein se déchire! mes sens s'ouvrent à des impressions nouvelles! Tout mon cœur s'abandonne à toi!... Parais! parais! m'en coûtât-il la vie! *(Il saisit le livre, et prononce les signes mystérieux de l'Esprit. Il s'allume une flamme rouge, l'Esprit apparaît dans la flamme.)*

L'ESPRIT

Qui m'appelle?

FAUST

Effroyable vision!

L'ESPRIT

Tu m'as évoqué. Ton souffle agissait sur ma sphère et m'en tirait avec violence. Et maintenant...

FAUST

Ah! je ne puis soutenir ta vue!

L'ESPRIT

Tu aspirais si fortement vers moi! Tu voulais me voir et m'entendre. Je cède au désir de ton cœur. — Me voici. Quel misérable effroi saisit ta nature surhumaine! Qu'as-tu fait de ce haut désir, de ce cœur qui créait un monde en soi-même, qui le portait et le fécondait, n'ayant pas assez de l'autre, et ne tendant qu'à nous égaler nous autres esprits? Faust, où es-tu? Toi qui m'attirais ici de toute ta force et de toute ta voix, est-ce bien toi-même que l'effroi glace jusque dans les sources de la vie et prosterne devant moi comme un lâche insecte qui rampe?

FAUST

Pourquoi te céderais-je, fantôme de flamme? Je suis Faust, je suis ton égal.

L'ESPRIT

Dans l'océan de la vie, et dans la tempête de l'action, je monte et descends, je vais et je viens! Naissance et tombe! Mer éternelle, trame changeante, vie énergique, dont j'ourdis, au métier bourdonnant du temps, les tissus impérissables, vêtements animés de Dieu!

FAUST

Esprit créateur, qui ondoies autour du vaste univers, combien je me sens près de toi!

L'ESPRIT

Tu es l'égal de l'esprit que tu conçois, mais tu n'es pas égal à moi. *(Il disparaît.)*

FAUST *(tombant à la renverse)*

Pas à toi!... A qui donc?... Moi! l'image de Dieu! pas seulement à toi! *(On frappe.)* O mort! Je m'en doute; c'est mon serviteur. Et voilà tout l'éclat de ma félicité réduit à rien!... Faut-il qu'une vision aussi sublime se trouve anéantie par un misérable valet!

(VAGNER, *en robe de chambre et bonnet de nuit, une lampe à la main.*
FAUST *se détourne avec mauvaise humeur.*)

VAGNER

Pardonnez! Je vous entendais déclamer; vous lisez sûrement une tragédie grecque, et je pourrais profiter dans cet art, qui est aujourd'hui fort en faveur. J'ai entendu dire souvent qu'un comédien peut en remontrer à un prêtre.

FAUST

Oui, si le prêtre est un comédien, comme il peut bien arriver de notre temps.

VAGNER

Ah! quand on est ainsi relégué dans son cabinet, et qu'on voit le monde à peine les jours de fête, et de loin seulement, au travers d'une lunette, comment peut-on aspirer à le conduire un jour par la persuasion ?

FAUST

Vous n'y atteindrez jamais si vous ne sentez pas fortement; si l'inspiration ne se presse pas hors de votre âme, et si, par la plus violente émotion, elle n'entraîne pas les cœurs de tous ceux qui écoutent. Allez donc vous concentrer en vous-même, mêler et réchauffer ensemble les restes d'un autre festin pour en former un petit ragoût... Faites jaillir une misérable flamme du tas de cendres où vous soufflez!... Alors vous pourrez vous attendre à l'admiration des enfants et des singes, si le cœur vous en dit; mais jamais vous n'agirez sur celui des autres, si votre éloquence ne part pas du cœur même.

VAGNER

Mais le débit fait le bonheur de l'orateur; et je sens bien que je suis encore loin de compte.

FAUST

Cherchez donc un succès honnête, et ne vous attachez point aux grelots d'une brillante folie; il ne faut pas tant d'art pour faire supporter la raison et le bon sens, et si vous avez à dire quelque chose de sérieux, ce n'est point aux mots qu'il faut vous appliquer davantage. Oui, vos discours si brillants, où vous parez si bien les bagatelles de l'humanité, sont stériles comme le vent brumeux de l'automne qui murmure parmi les feuilles séchées.

VAGNER

Ah! Dieu! l'art est long, et notre vie est courte! Pour moi, au milieu de mes travaux littéraires, je me sens souvent mal à la tête et au cœur. Que de difficultés n'y a-t-il pas à trouver le moyen de remonter aux sources! Et un pauvre diable peut très bien mourir avant d'avoir fait la moitié du chemin.

FAUST

Un parchemin serait-il bien la source divine où notre âme peut apaiser sa soif éternelle? Vous n'êtes pas consolé, si la consolation ne jaillit point de votre propre cœur.

VAGNER

Pardonnez-moi! C'est une grande jouissance que de se transporter dans l'esprit des temps passés, de voir comme un sage a pensé avant nous, et comment, partis de loin, nous l'avons si victorieusement dépassé.

FAUST

Oh! sans doute! jusqu'aux étoiles. Mon ami, les siècles écoulés sont pour nous le livre aux sept cachets; ce que vous appelez l'esprit des temps n'est au fond que l'esprit même des auteurs, où les temps se réfléchissent. Et c'est vraiment une misère le plus souvent! Le premier coup d'œil suffit pour vous mettre en fuite. C'est comme un sac à immondices, un vieux garde-meuble, ou plutôt une de ces parades de place publique, remplies de belles maximes de morale, comme on en met d'ordinaire dans la bouche des marionnettes!

VAGNER

Mais le monde! le cœur et l'esprit des hommes!... Chacun peut bien désirer d'en connaître quelque chose.

FAUST

Oui, ce qu'on appelle connaître. Qui osera nommer l'enfant de son nom véritable? Le peu d'hommes qui ont su quelque chose, et qui ont été assez fous pour ne point garder leur secret dans leur propre cœur, ceux qui ont découvert au peuple leurs sentiments et leurs vues, ont été de tout temps crucifiés et brûlés. — Je vous prie, mon ami, de vous retirer. Il se fait tard; nous en resterons là pour cette fois.

VAGNER

J'aurais veillé plus longtemps volontiers, pour profiter de l'entretien d'un homme aussi instruit que vous; mais, demain, comme au jour de Pâques dernier, vous voudrez bien me permettre une autre demande. Je me suis abandonné à l'étude avec zèle, et je sais beaucoup, il est vrai; mais je voudrais tout savoir. *(Il sort.)*

FAUST *(seul)*

Comme toute espérance n'abandonne jamais une pauvre tête! Celui-ci ne s'attache qu'à des bagatelles, sa main avide creuse la terre pour chercher des trésors; mais qu'il trouve un vermisseau, et le voilà content.

Comment la voix d'un tel homme a-t-elle osé retentir en ces lieux, où le souffle de l'esprit vient de m'environner! Cependant, hélas! je te remercie pour cette fois, ô le plus misérable des enfants de la terre! Tu m'arraches

au désespoir qui allait dévorer ma raison. Ah! l'apparition
était si gigantesque, que je dus vraiment me sentir comme
un nain vis-à-vis d'elle.

Moi, l'image de Dieu, qui me croyais déjà parvenu au
miroir de l'éternelle vérité; qui, dépouillé, isolé des
enfants de la terre, aspirais à toute la clarté du ciel; moi
qui croyais, supérieur aux chérubins, pouvoir nager librement dans les veines de la nature, et, créateur aussi,
jouir de la vie d'un Dieu, ai-je pu mesurer mes pressentiments à une telle élévation!... Et combien je dois expier
tant d'audace! Une parole foudroyante vient de me
rejeter bien loin!

N'ai-je pas prétendu t'égaler?... Mais si j'ai possédé
assez de force pour t'attirer à moi, il ne m'en est plus
resté pour t'y retenir. Dans cet heureux moment, je me
sentais tout à la fois si petit et si grand! tu m'as cruelle-
ment repoussé dans l'incertitude de l'humanité. Qui
m'instruira désormais, et que dois-je éviter? Faut-il
obéir à cette impulsion? Ah! nos actions mêmes, aussi
bien que nos souffrances, arrêtent le cours de notre vie.

Une matière de plus en plus étrangère à nous s'oppose
à tout ce que l'esprit conçoit de sublime; quand nous
atteignons aux biens de ce monde, nous traitons de
mensonge et de chimère tout ce qui vaut mieux qu'eux.
Les nobles sentiments qui nous donnent la vie languissent
étouffés sous les sensations de la terre.

L'imagination, qui, déployant la hardiesse de son vol,
a voulu, pleine d'espérance, s'étendre dans l'éternité, se
contente alors d'un petit espace, dès qu'elle voit tout ce
qu'elle rêvait de bonheur s'évanouir dans l'abîme du
temps. Au fond de notre cœur, l'inquiétude vient s'établir,
elle y produit de secrètes douleurs, elle s'y agite sans
cesse, en y détruisant joie et repos; elle se pare toujours
de masques nouveaux: c'est tantôt une maison, une cour;
tantôt une femme, un enfant; c'est encore du feu, de l'eau,
un poignard, du poison!... Nous tremblons devant tout
ce qui ne nous atteindra pas, et nous pleurons sans cesse
ce que nous n'avons point perdu!

Je n'égale pas Dieu! Je le sens trop profondément; je
ne ressemble qu'au ver, habitant de la poussière, au ver,
que le pied du voyageur écrase et ensevelit pendant qu'il
y cherche une nourriture.

N'est-ce donc point la poussière même, tout ce que
cette haute muraille me conserve sur cent tablettes? toute
cette friperie dont les bagatelles m'enchaînent à ce monde

de vers ?... Dois-je trouver ici ce qui me manque ? Il me
faudra peut-être lire dans ces milliers de volumes, pour
y voir que les hommes se sont tourmentés sur tout, et
que çà et là un heureux s'est montré sur la terre ! — O toi,
pauvre crâne vide, pourquoi sembles-tu m'adresser ton
ricanement ? Est-ce pour me dire qu'il a été un temps où
ton cerveau fut, comme le mien, rempli d'idées confuses ?
qu'il chercha le grand jour, et qu'au milieu d'un triste
crépuscule il erra misérablement dans la recherche de la
vérité ? Instruments que je vois ici, vous semblez me
narguer avec toutes vos roues, vos dents, vos anses et vos
cylindres ! J'étais à la porte, et vous deviez me servir de
clef. Vous êtes, il est vrai, plus hérissés qu'une clef ;
mais vous ne levez pas les verrous. Mystérieuse au grand
jour, la nature ne se laisse point dévoiler, et il n'est ni
levier ni machine qui puisse la contraindre à faire voir
à mon esprit ce qu'elle a résolu de lui cacher. Si tout ce
vieil attirail, qui jamais ne me fut utile, se trouve ici,
c'est que mon père l'y rassembla. Poulie antique, la
sombre lampe de mon pupitre t'a longtemps noircie !
Ah ! j'aurais bien mieux fait de dissiper le peu qui m'est
resté, que d'en embarrasser mes veilles ! — Ce que tu as
hérité de ton père, acquiers-le pour le posséder. Ce qui ne
sert point est un pesant fardeau, mais ce que l'esprit
peut créer en un instant, voilà ce qui est utile !

Pourquoi donc mon regard s'élève-t-il toujours vers
ce lieu ? Ce petit flacon a-t-il pour les yeux un attrait
magnétique ? Pourquoi tout à coup me semble-t-il que
mon esprit jouit de plus de lumière, comme une forêt
sombre où la lune jette un rayon de sa clarté ?

Je te salue, fiole solitaire que je saisis avec un pieux
respect ! en toi, j'honore l'esprit de l'homme et son indus-
trie. Remplie d'un extrait des sucs les plus doux, favo-
rables au sommeil, tu contiens aussi toutes les forces qui
donnent la mort ; accorde tes faveurs à celui qui te possède ! Je te vois, et ma douleur s'apaise ; je te saisis, et
mon agitation diminue, et la tempête de mon esprit se
calme peu à peu ! Je me sens entraîné dans le vaste Océan,
le miroir des eaux marines se déroule silencieusement à
mes pieds, un nouveau jour se lève au loin sur les plages
inconnues.

Un char de feu plane dans l'air, et ses ailes rapides
s'abattent près de moi ; je me sens prêt à tenter des
chemins nouveaux dans la plaine des cieux, au travers de
l'activité des sphères nouvelles. Mais cette existence

sublime, ces ravissements divins, comment, ver chétif, peux-tu les mériter ?... C'est en cessant d'exposer ton corps au doux soleil de la terre, en te hasardant à enfoncer ces portes devant lesquelles chacun frémit. Voici le temps de prouver par des actions que la dignité de l'homme ne le cède point à la grandeur d'un Dieu ! Il ne faut pas trembler devant ce gouffre obscur, où l'imagination semble se condamner à ses propres tourments; devant cette étroite avenue où tout l'enfer étincelle !... ose d'un pas hardi aborder ce passage : au risque même d'y rencontrer le néant !

Sors maintenant, coupe d'un pur cristal, sors de ton vieil étui, où je t'oubliai pendant de si longues années. Tu brillais jadis aux festins de mes pères, tu déridais les plus sérieux convives, qui te passaient de mains en mains : chacun se faisait un devoir, lorsque venait son tour, de célébrer en vers la beauté des ciselures qui t'environnent, et de te vider d'un seul trait. Tu me rappelles les nuits de ma jeunesse; je ne t'offrirai plus à aucun voisin, je ne célébrerai plus tes ornements précieux. Voici une liqueur que je dois boire pieusement, elle te remplit de ses flots noirâtres; je l'ai préparée, je l'ai choisie, elle sera ma boisson dernière, et je la consacre avec toute mon âme, comme libation solennelle, à l'aurore d'un jour plus beau. (*Il porte la coupe à sa bouche. Son des cloches et chants des chœurs.*)

CHŒUR DES ANGES

Christ est ressuscité ! Joie au mortel qui languit ici-bas dans les liens du vice et de l'iniquité !

FAUST

Quels murmures sourds, quels sons éclatants arrachent puissamment la coupe à mes lèvres altérées ? Le bourdonnement des cloches annonce-t-il déjà la première heure de la fête de Pâques ? Les chœurs divins entonnent-ils les chants de consolation, qui, partis de la nuit du tombeau, et répétés par les lèvres des anges, furent le premier gage d'une alliance nouvelle ?

CHŒUR DES FEMMES

D'huiles embaumées, nous, ses fidèles, avions baigné ses membres nus ! Nous l'avions couché dans la tombe, ceint de bandelettes et de fins tissus ! Et cependant, hélas ! le Christ n'est plus ici, nous ne le trouvons plus !

CHŒUR DES ANGES

Christ est ressuscité! Heureuse l'âme aimante qui supporte l'épreuve des tourments et des injures avec une humble piété!

FAUST

Pourquoi, chants du ciel, chants puissants et doux, me cherchez-vous dans la poussière? Retentissez pour ceux que vous touchez encore. J'écoute bien la nouvelle que vous apportez; mais la foi me manque pour y croire : le miracle est l'enfant le plus chéri de la foi. Pour moi, je n'ose aspirer à cette sphère où retentit l'annonce de la *bonne nouvelle* ; et cependant, par ces chants dont mon enfance fut bercée, je me sens rappelé dans la vie. Autrefois le baiser de l'amour céleste descendait sur moi, pendant le silence solennel du dimanche; alors le son grave des cloches me berçait de doux pressentiments, et une prière était la jouissance la plus ardente de mon cœur; des désirs aussi incompréhensibles que purs m'entraînaient vers les forêts et les prairies, et dans un torrent de larmes délicieuses, tout un monde inconnu se révélait à moi. Ces chants précédaient les jeux aimables de la jeunesse et les plaisirs de la fête du printemps : le souvenir, tout plein de sentiments d'enfance, m'arrête au dernier pas que j'allais hasarder. Oh! retentissez encore, doux cantiques du ciel! mes larmes coulent, la terre m'a reconquis!

CHŒUR DES DISCIPLES

Il s'est élancé de la tombe, plein d'existence et de majesté! Il approche du séjour des joies impérissables! Hélas! et nous voici replongés seuls dans les misères de ce monde! Il nous laisse languir ici-bas, nous ses fidèles! O maître! nous souffrons de ton bonheur!

CHŒUR DES ANGES

Christ est ressuscité de la corruption! En allégresse, rompez vos fers! O vous qui le glorifiez par l'action, et qui témoignez de lui par l'amour ; vous qui partagez avec vos frères, et qui marchez en prêchant sa parole! Voici le maître qui vient, vous promettant les joies du ciel! Le Seigneur approche, il est ici!

DEVANT LA PORTE DE LA VILLE

PROMENEURS *(sortant en tous sens)*

PLUSIEURS COMPAGNONS OUVRIERS

Pourquoi allez-vous par là?

D'AUTRES

Nous allons au rendez-vous de chasse.

LES PREMIERS

Pour nous, nous gagnons le moulin.

UN OUVRIER

Je vous conseille d'aller plutôt vers l'étang.

UN AUTRE

La route n'est pas belle de ce côté-là.

TOUS DEUX ENSEMBLE

Que fais-tu, toi?

UN TROISIÈME

Je vais avec les autres.

UN QUATRIÈME

Venez donc à Burgdorf; vous y trouverez pour sûr les plus jolies filles, la plus forte bière et des intrigues du meilleur genre.

UN CINQUIÈME

Tu es un plaisant compagnon! L'épaule te démange-t-elle pour la troisième fois? Je n'y vais pas, j'ai trop peur de cet endroit-là.

UNE SERVANTE

Non, non, je retourne à la ville.

UNE AUTRE

Nous le trouverons sans doute sous ces peupliers.

LA PREMIÈRE

Ce n'est pas un grand plaisir pour moi; il viendra se mettre à tes côtés, il ne dansera sur la pelouse qu'avec toi; que me revient-il donc de tes amusements?

L'AUTRE

Aujourd'hui, il ne sera sûrement pas seul; le blondin, m'a-t-il dit, doit venir avec lui.

UN ÉCOLIER

Regarde comme ces servantes vont vite. Viens donc, frère; nous les accompagnerons. De la bière forte, du tabac piquant et une fille endimanchée; c'est là mon goût favori.

UNE BOURGEOISE

Vois donc ces jolis garçons! C'est vraiment une honte; ils pourraient avoir la meilleure compagnie, et courent après ces filles!

LE SECOND ÉCOLIER *(au premier)*

Pas si vite! Il en vient deux derrière nous qui sont fort joliment mises. L'une d'elles est ma voisine, et je me suis un peu coiffé de la jeune personne. Elles vont à pas lents, et ne tarderaient pas à nous prendre avec elles.

LE PREMIER

Non, frère; je n'aime pas la gêne. Viens vite, que nous ne perdions pas de vue le gibier. La main qui samedi tient un balai, est celle qui dimanche vous caresse le mieux.

UN BOURGEOIS

Non, le nouveau bourgmestre ne me revient pas : à présent que le voilà parvenu, il va devenir plus fier de jour en jour. Et que fait-il donc pour la ville? Tout ne va-t-il pas de plus en plus mal? Il faut obéir plus que jamais, et payer plus qu'auparavant.

UN MENDIANT *(chante)*

Mes bons seigneurs, mes belles dames,
Si bien vêtus et si joyeux,
Daignez, en passant, nobles âmes,
Sur mon malheur baisser les yeux :
A de bons cœurs comme les vôtres
Bien faire cause un doux émoi;

Qu'un jour de fête pour tant d'autres
Soit un jour de moisson pour moi !

UN AUTRE BOURGEOIS

Je ne sais rien de mieux, les dimanches et fêtes, que de parler de guerres et de combats, pendant que, bien loin, dans la Turquie, les peuples s'assomment entre eux. On est à la fenêtre, on prend son petit verre, et l'on voit la rivière se barioler de bâtiments de toutes couleurs; le soir on rentre gaiement chez soi, en bénissant la paix et le temps de paix dont nous jouissons.

TROISIÈME BOURGEOIS

Je suis comme vous, mon cher voisin : qu'on se fende la tête ailleurs, et que tout aille au diable; pourvu que chez moi rien ne soit dérangé.

UNE VIEILLE *(à de jeunes demoiselles)*

Eh! comme elles sont bien parées! La belle jeunesse Qui est-ce qui ne deviendrait pas fou de vous voir ? Allons, moins de fierté!... C'est bon! je suis capable de vous procurer tout ce que vous pourrez souhaiter.

LES JEUNES BOURGEOISES

Viens, Agathe! je craindrais d'être vue en public avec une pareille sorcière : elle me fit pourtant voir, à la nuit de Saint-André, mon futur amant en personne.

UNE AUTRE

Elle me le montra aussi à moi dans un cristal, habillé en soldat, avec beaucoup d'autres. Je regarde autour de moi, mais j'ai beau le chercher partout, il ne veut pas se montrer.

DES SOLDATS

Villes entourées
De murs et de tours ;
Fillettes parées
D'attraits et d'atours !...
L'honneur nous commande
De tenter l'assaut ;
Si la peine est grande,
Le succès la vaut.

Au son des trompettes,
Les braves soldats

S'élancent aux fêtes,
Ou bien aux combats :
Fillettes et villes
Font les difficiles...
Tout se rend bientôt :
L'honneur nous commande !
Si la peine est grande,
Le succès la vaut !

FAUST et VAGNER

FAUST

Les torrents et les ruisseaux ont rompu leur prison de glace au sourire doux et vivifiant du printemps; une heureuse espérance verdit dans la vallée; le vieil hiver, qui s'affaiblit de jour en jour, se retire peu à peu vers les montagnes escarpées. Dans sa fuite, il lance sur le gazon des prairies quelques regards glacés mais impuissants; le soleil ne souffre plus rien de blanc en sa présence, partout règnent l'illusion, la vie; tout s'anime sous ses rayons de couleurs nouvelles. Cependant prendrait-il en passant pour des fleurs cette multitude de gens endimanchés dont la campagne est couverte? Détournons-nous donc de ces collines pour retourner à la ville. Par cette porte obscure et profonde se presse une foule toute bariolée : chacun aujourd'hui se montre avec plaisir au soleil : c'est bien la résurrection du Seigneur qu'ils fêtent, car eux-mêmes sont ressuscités. Echappés aux sombres appartements de leurs maisons basses, aux liens de leurs occupations journalières, aux toits et aux plafonds qui les pressent, à la malpropreté de leurs étroites rues, à la nuit mystérieuse de leurs églises, les voilà rendus tous à la lumière. Voyez donc, voyez comme la foule se précipite dans les jardins et dans les champs ! que de barques joyeuses sillonnent le fleuve en long et en large !... et cette dernière qui s'écarte des autres chargée jusqu'aux bords. Les sentiers les plus lointains de la montagne brillent aussi de l'éclat des habits. J'entends déjà le bruit du village; c'est vraiment là le paradis du peuple; grands et petits sautent gaiement : ici je me sens homme, ici j'ose l'être.

VAGNER

Monsieur le Docteur, il est honorable et avantageux de se promener avec vous; cependant je ne voudrais pas me confondre dans ce monde-là, car je suis ennemi de tout ce qui est grossier. Leurs violons, leurs cris, leurs amusements bruyants, je hais tout cela à la mort. Ils hurlent comme des possédés, et appellent cela de la joie et de la danse.

PAYSANS *(sous les tilleuls)*
(Danse et chant.)

Les bergers, quittant leurs troupeaux,
Mènent au son des chalumeaux
Leurs belles en parure ;
Sous le tilleul les voilà tous
Dansant, sautant comme des fous,
Ha ! ha ! ha !
Landerira !
Suivez donc la mesure !

La danse en cercle se pressait,
Quand un berger, qui s'élançait,
Coudoie une fillette ;
Elle se retourne aussitôt,
Disant : « Ce garçon est bien sot ! »
Ha ! ha ! ha !
Landerira !
Voyez ce malhonnête !

Ils passaient tous comme l'éclair,
Et les robes volaient en l'air ;
Bientôt le pied vacille...
Le rouge leur montait au front,
Et l'un sur l'autre, dans le rond,
Ha ! ha ! ha !
Landerira !
Tous tombent à la file !

— Ne me touchez donc pas ainsi !
— Paix ! ma femme n'est point ici,
La bonne circonstance ! —
Dehors il l'emmène soudain...
Et tout pourtant allait son train,
Ha ! ha ! ha !
Landerira !
La musique et la danse.

UN VIEUX PAYSAN

Monsieur le Docteur, il est beau de votre part de ne point nous mépriser aujourd'hui, et, savant comme vous l'êtes, de venir vous mêler à toute cette cohue. Daignez donc prendre la plus belle cruche, que nous avons emplie de boisson fraîche; je vous l'apporte, et souhaite hautement non seulement qu'elle apaise votre soif, mais encore que le nombre des gouttes qu'elle contient soit ajouté à celui de vos jours.

FAUST

J'accepte ces rafraîchissements et vous offre en échange salut et reconnaissance. *(Le peuple s'assemble en cercle autour d'eux.)*

LE VIEUX PAYSAN

C'est vraiment fort bien fait à vous de reparaître ici un jour de gaîté. Vous nous rendîtes visite autrefois dans de bien mauvais temps. Il y en a plus d'un, bien vivant aujourd'hui, et que votre père arracha à la fièvre chaude, lorsqu'il mit fin à cette peste qui désolait notre contrée. Et vous aussi, qui n'étiez alors qu'un jeune homme, vous alliez dans toutes les maisons des malades; on emportait nombre de cadavres, mais vous, vous en sortiez toujours bien portant. Vous supportâtes de rudes épreuves; mais le Sauveur secourut celui qui nous a sauvés.

TOUS

A la santé de l'homme intrépide! Puisse-t-il longtemps encore être utile!

FAUST

Prosternez-vous devant celui qui est là-haut, c'est lui qui enseigne à secourir et qui vous envoie des secours. *(Il va plus loin avec Vagner.)*

VAGNER

Quelles douces sensations tu dois éprouver, ô grand homme, des honneurs que cette foule te rend! O heureux qui peut de ses dons retirer un tel avantage! Le père te montre à son fils, chacun interroge, court et se presse, le violon s'arrête, la danse cesse. Tu passes, ils se rangent en cercle, les chapeaux volent en l'air, et peu s'en faut qu'ils ne se mettent à genoux, comme si le bon Dieu se présentait.

FAUST

Quelques pas encore, jusqu'à cette pierre, et nous pourrons nous reposer de notre promenade. Que de fois je m'y assis pensif, seul, exténué de prières et de jeûnes. Riche d'espérance, ferme dans ma foi, je croyais, par des larmes, des soupirs, des contorsions, obtenir du maître des cieux la fin de cette peste cruelle. Maintenant, les suffrages de la foule retentissent à mon oreille comme une raillerie. Oh ! si tu pouvais lire dans mon cœur, combien peu le père et le fils méritent tant de renommée! Mon père était un obscur honnête homme qui, de bien bonne foi, raisonnait à sa manière sur la nature et ses divins secrets. Il avait coutume de s'enfermer avec une société d'adeptes dans un sombre laboratoire où, d'après des recettes infinies, il opérait la transfusion des contraires. C'était un *lion rouge*, hardi compagnon qu'il unissait dans un bain tiède à un lis; puis, les plaçant au milieu des flammes, il les transvasait d'un creuset dans un autre. Alors apparaissait, dans un verre, la *jeune reine* * aux couleurs variées; c'était là la médecine, les malades mouraient, et personne ne demandait : Qui a guéri ? c'est ainsi qu'avec des *électuaires* infernaux nous avons fait dans ces montagnes et ces vallées plus de ravage que l'épidémie. J'ai moi-même offert le poison à des milliers d'hommes; ils sont morts, et, moi, je survis, hardi meurtrier, pour qu'on m'adresse des éloges.

VAGNER

Comment pouvez-vous vous troubler de cela ? un brave homme ne fait-il pas assez quand il exerce avec sagesse et ponctualité l'art qui lui fut transmis ? Si tu honores ton père, jeune homme, tu recevras volontiers ses instructions : homme, si tu fais avancer la science, ton fils pourra aspirer à un but plus élevé.

FAUST

O bienheureux qui peut encore espérer de surnager dans cet océan d'erreurs ! On use de ce qu'on ne sait point, et ce qu'on sait, on n'en peut faire aucun usage. Cependant ne troublons pas par d'aussi sombres idées le calme de ces belles heures ! Regarde comme les toits entourés de verdure étincellent aux rayons du soleil couchant. Il se penche et s'éteint, le jour expire, mais il va porter autre

---

* *Noms de diverses compositions alchimiques.*

part une nouvelle vie. Oh! que n'ai-je des ailes pour m'élever de la terre, et m'élancer après lui, dans une clarté éternelle! Je verrais à travers le crépuscule tout un monde silencieux se dérouler à mes pieds, je verrais toutes les hauteurs s'enflammer, toutes les vallées s'obscurcir, et les vagues argentées des fleuves se dorer en s'écoulant. La montagne et tous ses défilés ne pourraient plus arrêter mon essor divin. Déjà la mer avec ses gouffres enflammés se dévoile à mes yeux surpris. Cependant le Dieu commence enfin à s'éclipser; mais un nouvel élan se réveille en mon âme, et je me hâte de m'abreuver encore de son éternelle lumière; le jour est devant moi; derrière moi la nuit; au-dessus de ma tête le ciel, et les vagues à mes pieds. — C'est un beau rêve tant qu'il dure! Mais, hélas! le corps n'a point d'ailes pour accompagner le vol rapide de l'esprit! Pourtant il n'est personne au monde qui ne se sente ému d'un sentiment profond, quand, au-dessus de nous, perdue dans l'azur des cieux, l'alouette fait entendre sa chanson matinale; quand, au-delà des rocs couverts de sapins, l'aigle plane, les ailes immobiles, et qu'au-dessus des mers, au-dessus des plaines, la grue dirige son vol vers les lieux de sa naissance.

VAGNER

J'ai souvent moi-même des moments de caprices : cependant des désirs comme ceux-là ne m'ont jamais tourmenté; on se lasse aisément des forêts et des prairies; jamais je n'envierai l'aile des oiseaux; les joies de mon esprit me transportent bien plus loin, de livre en livre, de feuilles en feuilles! Que de chaleur et d'agrément cela donne à une nuit d'hiver! Vous sentez une vie heureuse animer tous vos membres... Ah! dès que vous déroulez un vénérable parchemin, tout le ciel s'abaisse sur vous!

FAUST

C'est le seul désir que tu connaisses encore; quant à l'autre, n'apprends jamais à le connaître. Deux âmes, hélas! se partagent mon sein, et chacune d'elles veut se séparer de l'autre : l'une, ardente d'amour, s'attache au monde par le moyen des organes du corps; un mouvement surnaturel entraîne l'autre loin des ténèbres, vers les hautes demeures de nos aïeux! Oh! si dans l'air il y a des esprits qui planent entre la terre et le ciel, qu'ils descendent de leurs nuages dorés, et me conduisent à une vie plus nouvelle et plus variée! Oui, si je possédais un

manteau magique, et qu'il pût me transporter vers des
régions étrangères, je ne m'en déferais point pour les habits
les plus précieux, pas même pour le manteau d'un roi.

VAGNER

N'appelez pas cette troupe bien connue, qui s'étend
comme la tempête autour de la vaste atmosphère, et qui
de tous côtés prépare à l'homme une infinité de dangers.
La bande des esprits venus du Nord aiguise contre vous
des langues à triple dard. Celle qui vient de l'Est dessèche vos poumons et s'en nourrit. Si ce sont les déserts
du Midi qui les envoient, ils entassent autour de votre
tête flamme sur flamme; et l'Ouest en vomit un essaim
qui vous rafraîchit d'abord, et finit par dévorer, autour
de vous, vos champs et vos moissons. Enclins à causer
du dommage, ils écoutent volontiers votre appel, ils vous
obéissent même, parce qu'ils aiment à vous tromper; ils
s'annoncent comme envoyés du ciel, et quand ils mentent,
c'est avec une voix angélique. Mais retirons-nous! le
monde se couvre déjà de ténèbres, l'air se rafraîchit,
le brouillard tombe! C'est le soir qu'on apprécie surtout
l'agrément du logis. Qu'avez-vous à vous arrêter? Que
considérez-vous là avec tant d'attention? Qui peut donc
vous étonner ainsi dans le crépuscule?

FAUST

Vois-tu ce chien noir errer au travers des blés et des
chaumes?

VAGNER

Je le vois depuis longtemps; il ne me semble offrir rien
d'extraordinaire.

FAUST

Considère-le bien; pour qui prends-tu cet animal?

VAGNER

Pour un barbet, qui cherche à sa manière la trace de
son maître.

FAUST

Remarques-tu comme il tourne en spirale, en s'approchant de nous de plus en plus? Et, si je ne me trompe,
traîne derrière ses pas une trace de feu.

VAGNER

Je ne vois rien qu'un barbet noir; il se peut bien qu'un
éblouissement abuse vos yeux.

FAUST

Il me semble qu'il tire à nos pieds des lacets magiques,
comme pour nous attacher.

VAGNER

Je le vois incertain et craintif sauter autour de nous,
parce qu'au lieu de son maître, il trouve deux inconnus.

FAUST

Le cercle se rétrécit, déjà il est proche.

VAGNER

Tu vois ! ce n'est là qu'un chien, et non un fantôme. Il
grogne et semble dans l'incertitude ; il se met sur le
ventre, agite sa queue, toutes manières de chien.

FAUST

Accompagne-nous ; viens ici.

VAGNER

C'est une folle espèce de barbet. Vous vous arrêtez, il
vous attend ; vous lui parlez, il s'élance à vous ; vous
perdez quelque chose, il le rapportera, et sautera dans
l'eau après votre canne.

FAUST

Tu as bien raison, je ne remarque en lui nulle trace
d'esprit, et tout est éducation.

VAGNER

Le chien, quand il est bien élevé, est digne de l'affec-
tion du sage lui-même. Oui, il mérite bien tes bontés.
C'est le disciple le plus assidu des écoliers. *(Ils rentrent
par la porte de la ville.)*

CABINET D'ÉTUDE

FAUST *(entrant avec le barbet)*

J'ai quitté les champs et les prairies qu'une nuit
profonde environne. Je sens un religieux effroi éveiller

par des pressentiments la meilleure de mes deux âmes.
Les grossières sensations s'endorment avec leur activité
orageuse; je suis animé d'un ardent amour des hommes, et
l'amour de Dieu me ravit aussi.

Sois tranquille, barbet; ne cours pas çà et là auprès de
la porte; qu'y flaires-tu? Va te coucher derrière le poêle;
je te donnerai mon meilleur coussin; puisque là-bas, sur
le chemin de la montagne, tu nous as récréés par tes tours
et par tes sauts, aie soin que je retrouve en toi maintenant un hôte parfaitement paisible.

Ah! dès que notre cellule étroite s'éclaire d'une lampe
amie, la lumière pénètre aussi dans notre sein, dans notre
cœur rendu à lui-même. La raison commence à parler, et
l'espérance à luire; on se baigne au ruisseau de la vie, à
la source dont elle jaillit.

Ne grogne point, barbet! Les hurlements d'un animal
ne peuvent s'accorder avec les divins accents qui rem-
plissent mon âme entière. Nous sommes accoutumés à ce
que les hommes déprécient ce qu'ils ne peuvent comprendre, à ce que le bon et le beau, qui souvent leur sont nui-
sibles, les fassent murmurer; mais faut-il que le chien
grogne à leur exemple?... Hélas! Je sens déjà qu'avec la
meilleure volonté, la satisfaction ne peut plus jaillir de
mon cœur... Mais pourquoi le fleuve doit-il sitôt tarir, et
nous replonger dans notre soif éternelle? J'en ai trop fait
l'expérience! Cette misère va cependant se terminer enfin;
nous apprenons à estimer ce qui s'élève au-dessus des
choses de la terre, nous aspirons à une révélation, qui nulle
part ne brille d'un éclat plus pur et plus beau que dans le
Nouveau Testament. J'ai envie d'ouvrir le texte, et
m'abandonnant une fois à des impressions naïves, de
traduire le saint original dans la langue allemande qui
m'est si chère. (*Il ouvre un volume, et s'arrête.*) Il est
écrit: *Au commencement était le verbe!* Ici je m'arrête
déjà! Qui me soutiendra plus loin? Il m'est impossible
d'estimer assez ce mot, *le verbe!* il faut que je le traduise
autrement, si l'esprit daigne m'éclairer. Il est écrit:
Au commencement était l'esprit! Réfléchissons bien sur
cette première ligne, et que la plume ne se hâte pas trop!
Est-ce bien l'esprit qui crée et conserve tout? Il devrait
y avoir: *Au commencement était la force!* Cependant tout
en écrivant ceci, quelque chose me dit que je ne dois pas
m'arrêter à ce sens. L'esprit m'éclaire enfin! L'inspiration
descend sur moi, et j'écris consolé: *Au commencement
était l'action!*

S'il faut que je partage la chambre avec toi, barbet, cesse tes cris et tes hurlements! Je ne puis souffrir près de moi un compagnon si bruyant : il faut que l'un de nous deux quitte la chambre! C'est malgré moi que je viole les droits de l'hospitalité; la porte est ouverte, et tu as le champ libre. Mais que vois-je? Cela est-il naturel? Est-ce une ombre, est-ce une réalité? Comme mon barbet vient de se gonfler! Il se lève avec effort, ce n'est plus une forme de chien. Quel spectre ai-je introduit chez moi? Il a déjà l'air d'un hippopotame, avec ses yeux de feu et son effroyable mâchoire. Oh! je serai ton maître! Pour une bête aussi infernale, la clef de Salomon m'est nécessaire.

ESPRITS (dans la rue)

L'un des nôtres est prisonnier! Restons dehors, et qu'aucun ne le suive! Un vieux diable s'est pris ici comme un renard au piège! Attention! voltigeons à l'entour, et cherchons à lui porter aide! N'abandonnons pas un frère qui nous a toujours bien servis!

FAUST

D'abord, pour aborder le monstre, j'emploierai la conjuration des quatre.

Que le Salamandre s'enflamme!
Que l'Ondin se replie!
Que le Sylphe s'évanouisse!
Que le Lutin travaille!

Qui ne connaîtrait pas les éléments, leur force et leurs propriétés, ne se rendrait jamais maître des esprits.

Vole en flamme, Salamandre!
Coulez ensemble en murmurant, Ondins!
Brille en éclatant météore, Sylphe!
Apporte-moi tes secours domestiques,
Incubus! incubus!
Viens ici, et ferme la marche!

Aucun des quatre n'existe dans cet animal. Il reste immobile et grince des dents devant moi; je ne lui ai fait encore aucun mal. Tu vas m'entendre employer de plus fortes conjurations.

Es-tu, mon ami, un échappé de l'enfer? alors regarde ce signe : les noires phalanges se courbent devant lui.

Déjà il se gonfle, ses crins sont hérissés!

Etre maudit! peux-tu le lire, celui qui jamais ne fut créé, l'inexprimable, adoré par tout le ciel, et criminellement transpercé?

Relégué derrière le poêle, il s'enfle comme un éléphant, il remplit déjà tout l'espace, et va se résoudre en vapeur. Ne monte pas au moins jusqu'à la voûte! Viens plutôt te coucher aux pieds de ton maître. Tu vois que je ne menace pas en vain. Je suis prêt à te roussir avec le feu sacré. N'attends pas la lumière au triple éclat! N'attends pas la plus puissante de mes conjurations!

MÉPHISTOPHÉLÈS *(entre pendant que le nuage tombe, et sort de derrière le poêle, en habit d'étudiant)*

D'où vient ce vacarme? Qu'est-ce qu'il y a pour le service de monsieur?

FAUST

C'était donc là le contenu du barbet? Un écolier ambulant.

MÉPHISTOPHÉLÈS

Je salue le savant docteur. Vous m'avez fait suer rudement.

FAUST

Quel est ton nom?

MÉPHISTOPHÉLÈS

La demande me paraît bien frivole, pour quelqu'un qui a tant de mépris pour les mots, qui toujours s'écarte des apparences, et regarde surtout le fond des êtres.

FAUST

Chez vous autres, messieurs, on doit pouvoir aisément deviner votre nature d'après vos noms, et c'est ce qu'on fait connaître clairement en vous appelant ennemis de Dieu, séducteurs, menteurs. Eh bien! qui donc es-tu?

MÉPHISTOPHÉLÈS

Une partie de cette force qui tantôt veut le mal et tantôt fait le bien.

FAUST

Que signifie cette énigme?

MÉPHISTOPHÉLÈS

Je suis l'esprit qui toujours nie; et c'est avec justice: car tout ce qui existe est digne d'être détruit, il serait donc mieux que rien n'existât. Ainsi, tout ce que vous nommez péché, destruction, bref, ce qu'on entend par mal, voilà mon élément.

FAUST

Tu te nommes partie, et te voilà en entier devant moi.

MÉPHISTOPHÉLÈS

Je te dis la modeste vérité. Si l'homme, ce petit monde de folie, se regarde ordinairement comme formant un entier, je suis, moi, une partie de la partie qui existait au commencement de tout, une partie de cette obscurité qui donna naissance à la lumière, la lumière orgueilleuse, qui maintenant dispute à sa mère la Nuit son rang antique et l'espace qu'elle occupait ; ce qui ne lui réussit guère pourtant, car malgré ses efforts elle ne peut que ramper à la surface des corps qui l'arrêtent ; elle jaillit de la matière, elle y ruisselle et la colore, mais un corps suffit pour briser sa marche. Je puis donc espérer qu'elle ne sera plus de longue durée, ou qu'elle s'anéantira avec les corps eux-mêmes.

FAUST

Maintenant, je connais tes honorables fonctions ; tu ne peux anéantir la masse, et tu te rattrapes sur les détails.

MÉPHISTOPHÉLÈS

Et franchement, je n'ai point fait grand ouvrage : ce qui s'oppose au néant, le quelque chose, ce monde matériel, quoi que j'aie entrepris jusqu'ici, je n'ai pu encore l'entamer ; et j'ai en vain déchaîné contre lui flots, tempêtes, tremblements, incendies ; la mer et la terre sont demeurées tranquilles. Nous n'avons rien à gagner sur cette maudite semence, matière des animaux et des hommes. Combien n'en ai-je pas déjà enterré ! Et toujours circule un sang frais et nouveau. Voilà la marche des choses ; c'est à en devenir fou. Mille germes s'élancent de l'air, de l'eau, comme de la terre, dans le sec, l'humide, le froid, le chaud. Si je ne m'étais pas réservé le feu, je n'aurais rien pour ma part.

FAUST

Ainsi tu opposes au mouvement éternel, à la puissance secourable qui crée, la main froide du démon, qui se roidit en vain avec malice ! Quelle autre chose cherches-tu à entreprendre, étonnant fils du chaos ?

MÉPHISTOPHÉLÈS

Nous nous en occuperons à loisir dans la prochaine
entrevue. Oserais-je bien cette fois m'éloigner?

FAUST

Je ne vois pas pourquoi tu me le demandes. J'ai maintenant appris à te connaître; visite-moi désormais quand
tu voudras : voici la fenêtre, la porte, et même la cheminée, à choisir.

MÉPHISTOPHÉLÈS

Je l'avouerai, un petit obstacle m'empêche de sortir :
le pied magique sur votre seuil.

FAUST

Le *pentagramme* te met en peine? Hé! dis-moi, fils
de l'enfer, si cela te conjure, comment es-tu entré ici?
Comment un tel esprit s'est-il laissé attraper ainsi?

MÉPHISTOPHÉLÈS

Considère-le bien : il est mal posé; l'angle tourné vers
la porte est, comme tu vois, un peu ouvert.

FAUST

Le hasard s'est bien rencontré! Et tu serais donc mon
prisonnier? C'est un heureux accident!

MÉPHISTOPHÉLÈS

Le barbet, lorsqu'il entra, ne fit attention à rien; du
dehors la chose paraissait tout autre, et maintenant le
diable ne peut plus sortir.

FAUST

Mais pourquoi ne sors-tu pas par la fenêtre?

MÉPHISTOPHÉLÈS

C'est une loi des diables et des revenants, qu'ils doivent
sortir par où ils sont entrés. Le premier acte est libre en
nous; nous sommes esclaves du second.

FAUST

L'enfer même a donc ses lois? C'est fort bien; ainsi un
pacte fait avec vous, messieurs, serait fidèlement observé?

MÉPHISTOPHÉLÈS

Ce qu'on te promet, tu peux en jouir entièrement; il ne t'en sera rien retenu. Ce n'est pas cependant si peu de chose que tu crois; mais une autre fois nous en reparlerons. Cependant je te prie et te reprie de me laisser partir cette fois-ci.

FAUST

Reste donc encore un instant pour me dire ma bonne aventure.

MÉPHISTOPHÉLÈS

Eh bien! lâche-moi toujours! Je reviendrai bientôt; et tu pourras me faire tes demandes à loisir.

FAUST

Je n'ai point cherché à te surprendre, tu es venu toi-même t'enlacer dans le piège. Que celui qui tient le diable le tienne bien; il ne le reprendra pas de sitôt.

MÉPHISTOPHÉLÈS

Si cela te plaît, je suis prêt aussi à rester ici pour te tenir compagnie; avec la condition cependant de te faire par mon art passer dignement le temps.

FAUST

Je vois avec plaisir que cela te convient; mais il faut que ton art soit divertissant.

MÉPHISTOPHÉLÈS

Ton esprit, mon ami, va gagner davantage dans cette heure seulement que dans l'uniformité d'une année entière. Ce que te chantent les esprits subtils, les belles images qu'ils apportent, ne sont pas une vaine magie. Ton odorat se délectera, ainsi que ton palais, et ton cœur sera transporté. De vains préparatifs ne sont point nécessaires, nous voici rassemblés, commencez!

ESPRITS

Disparaissez, sombres arceaux! laissez la lumière du ciel nous sourire et l'éther bleu se dérouler!

Que les sombres nuées se déchirent, et que les petites étoiles s'allument comme des soleils plus doux!

Filles du ciel, idéales beautés, resserrez autour de lui le cercle de votre danse ailée.

Les désirs d'amour voltigent sur vos pas, dénouez vos ceintures et quittez vos habits flottants !

Semez-en la prairie et la feuillée épaisse où les amants viendront rêver leurs amours éternelles !

O tendre verdure des bocages ! bras entrelacés des ramées !

Les grappes s'entassent aux vignes, les pressoirs en sont gorgés ; le vin jaillit à flots écumants ; des ruisseaux de pourpre sillonnent le vert des prairies !

Créatures du ciel, déployez au soleil vos ailes frémissantes : volez vers ces îles fortunées qui glissent là-bas sur les flots !

Là-bas tout est rempli de danses et de concerts ; tout aime, tout s'agite en liberté.

Des chœurs ailés mènent la ronde sur le sommet lumineux des collines ; d'autres se croisent en tout sens sur la surface unie des eaux.

Tous pour la vie ! tous les yeux fixés au loin sur quelque étoile chérie, que le ciel alluma pour eux.

MÉPHISTOPHÉLÈS

Il dort : c'est bien, jeunes esprits de l'air ! vous l'avez fidèlement enchanté ! c'est un concert que je vous redois. Tu n'es pas encore homme à bien tenir le diable ! Fascinez-le par de doux prestiges, plongez-le dans une mer d'illusions. Cependant, pour détruire le charme de ce seuil, j'ai besoin de la dent d'un rat... Je n'aurai pas longtemps à conjurer, en voici un qui trotte par là et qui m'entendra bien vite.

Le seigneur des rats et des souris, des mouches, des grenouilles, des punaises, des poux, t'ordonne de venir ici, et de ronger ce seuil comme s'il était frotté d'huile.

Ah ! te voilà déjà ! Allons, vite à l'ouvrage ! La pointe qui m'a arrêté, elle est là sur le bord... encore un morceau, c'est fait !

FAUST *(se réveillant)*

Suis-je donc trompé cette fois encore ? Toute cette foule d'esprits a-t-elle disparu ? N'est-ce pas un rêve qui m'a présenté le diable ?... Et n'est-ce qu'un barbet qui a sauté après moi ?

CABINET D'ÉTUDE

FAUST, MÉPHISTOPHÉLÈS

FAUST

On frappe ? entrez ! Qui vient m'importuner encore ?

MÉPHISTOPHÉLÈS

C'est moi.

FAUST

Entrez !

MÉPHISTOPHÉLÈS

Tu dois le dire trois fois.

FAUST

Entrez donc !

MÉPHISTOPHÉLÈS

Tu me plais ainsi ; nous allons nous accorder, j'espère.
Pour dissiper ta mauvaise humeur, me voici en jeune
seigneur, avec l'habit écarlate brodé d'or, le petit manteau de satin empesé, la plume de coq au chapeau, une
épée longue et bien affilée ; et je te donnerai le conseil
court et bon d'en faire autant, afin de pouvoir, affranchi
de tes chaînes, goûter ce que c'est que la vie.

FAUST

Sous quelque habit que ce soit, je n'en sentirai pas
moins les misères de l'existence humaine. Je suis trop
vieux pour jouer encore, trop jeune pour être sans désirs.
Qu'est-ce que le monde peut m'offrir de bon ? *Tout doit
te manquer, tu dois manquer de tout !* Voilà l'éternel refrain
qui tinte aux oreilles de chacun de nous, et ce que, toute
notre vie, chaque heure nous répète d'une voix cassée.
C'est avec effroi que le matin je me réveille ; je devrais
répandre des larmes amères, en voyant ce jour qui dans
sa course n'accomplira pas un de mes vœux ; pas un seul !
Ce jour qui par des tourments intérieurs énervera jusqu'au
pressentiment de chaque plaisir, qui sous mille contra-
riétés paralysera les inspirations de mon cœur agité.

Il faut aussi, dès que la nuit tombe, m'étendre d'un mouvement convulsif sur ce lit où nul repos ne viendra me soulager, où des rêves affreux m'épouvanteront. Le dieu qui réside en mon sein peut émouvoir profondément tout mon être; mais lui, qui gouverne toutes mes forces, ne peut rien déranger autour de moi. Et voilà pourquoi la vie m'est un fardeau, pourquoi je désire la mort et j'abhorre l'existence.

MÉPHISTOPHÉLÈS

Et pourtant la mort n'est jamais un hôte très bien venu.

FAUST

O heureux celui à qui, dans l'éclat du triomphe, elle ceint les tempes d'un laurier sanglant, celui qu'après l'ivresse d'une danse ardente, elle vient surprendre dans les bras d'une femme! Oh! que ne puis-je, devant la puissance du grand Esprit, me voir transporté, ravi, et ensuite anéanti!

MÉPHISTOPHÉLÈS

Et quelqu'un cependant n'a pas avalé cette nuit une certaine liqueur brune...

FAUST

L'espionnage est ton plaisir, à ce qu'il paraît.

MÉPHISTOPHÉLÈS

Je n'ai pas la science universelle, et cependant j'en sais beaucoup.

FAUST

Eh bien! puisque des sons bien doux et bien connus m'ont arraché à l'horreur de mes sensations, en m'offrant, avec l'image de temps plus joyeux, les aimables sentiments de l'enfance... je maudis tout ce que l'âme environne d'attraits et de prestiges, tout ce qu'en ces tristes demeures elle voile d'éclat et de mensonge! Maudite soit d'abord la haute opinion dont l'esprit s'enivre lui-même! Maudite soit la splendeur des vaines apparences qui assiègent nos sens! Maudit soit ce qui nous séduit dans nos rêves, illusions de gloire et d'immortalité! Maudits soient tous les objets dont la possession nous flatte, femme ou enfant, valet ou charrue! Maudit soit Mammon, quand, par l'appât de ses trésors, il nous pousse à des entreprises audacieuses, ou quand, par des jouissances oisives, il nous entoure de voluptueux coussins! Maudite soit toute exaltation de l'amour! Maudite soit l'espérance! Maudite la foi, et maudite, avant tout, la patience!

CHŒUR D'ESPRITS *(invisible)*

Hélas! hélas! tu l'as détruit l'heureux monde! tu l'as écrasé de ta main puissante; il est en ruines! Un demi-dieu l'a renversé!... Nous emportons ses débris dans le néant, et nous pleurons sur sa beauté perdue! Oh! le plus grand des enfants de la terre! relève-le, reconstruis-le dans ton cœur! recommence le cours d'une existence nouvelle, et nos chants résonneront encore pour accompagner tes travaux.

MÉPHISTOPHÉLÈS

Ceux-là sont les petits d'entre les miens. Ecoute comme ils te conseillent sagement le plaisir et l'activité! Ils veulent t'entraîner dans le monde, t'arracher à cette solitude, où se figent et l'esprit et les sucs qui servent à l'alimenter.

Cesse donc de te jouer de cette tristesse qui, comme un vautour, dévore ta vie. En si mauvaise compagnie que tu sois, tu pourras sentir que tu es homme avec les hommes; cependant on ne songe pas pour cela à t'encanailler. Je ne suis pas moi-même un des premiers; mais, si tu veux, uni à moi, diriger tes pas dans la vie, je m'accommoderai volontiers de t'appartenir sur-le-champ. Je me fais ton compagnon, ou, si cela t'arrange mieux, ton serviteur et ton esclave.

FAUST

Et quelle obligation devrai-je remplir en retour?

MÉPHISTOPHÉLÈS

Tu auras le temps de t'occuper de cela.

FAUST

Non, non! Le diable est un égoïste, et ne fait point pour l'amour de Dieu ce qui est utile à autrui. Exprime clairement ta condition; un pareil serviteur porte malheur à une maison.

MÉPHISTOPHÉLÈS

Je veux *ici* m'attacher à ton service, obéir sans fin ni cesse à ton moindre signe; mais, quand nous nous reverrons *là-dessous*, tu devras me rendre la pareille.

FAUST

Le *dessous* ne m'inquiète guère; mets d'abord en pièces ce monde-ci, et l'autre peut arriver ensuite. Mes plaisirs jaillissent de cette terre, et ce soleil éclaire mes peines; que je m'affranchisse une fois de ces dernières, arrive après ce qui pourra. Je n'en veux point apprendre davantage. Peu m'importe que, dans l'avenir, on aime ou haïsse, et que ces sphères aient aussi un dessus et un dessous.

MÉPHISTOPHÉLÈS

Dans un tel esprit tu peux te hasarder : engage-toi; tu verras ces jours-ci tout ce que mon art peut procurer de plaisir; je te donnerai ce qu'aucun homme n'a pu même encore entrevoir.

FAUST

Et qu'as-tu à donner, pauvre démon? L'esprit d'un homme en ses hautes inspirations fut-il jamais conçu par tes pareils? Tu n'as que des aliments qui ne rassasient pas; de l'or pâle, qui sans cesse s'écoule des mains comme le vif-argent; un jeu auquel on ne gagne jamais; une fille qui jusque dans mes bras fait les yeux doux à mon voisin; l'honneur, belle divinité qui s'évanouit comme un météore. Fais-moi voir un fruit qui ne pourrisse pas avant de tomber, et des arbres qui tous les jours se couvrent d'une verdure nouvelle.

MÉPHISTOPHÉLÈS

Une pareille entreprise n'a rien qui m'étonne, je puis t'offrir de tels trésors. Oui, mon bon ami, le temps est venu aussi où nous pouvons faire la débauche en toute sécurité.

FAUST

Si jamais je puis m'étendre sur un lit de plume pour y reposer, que ce soit fait de moi à l'instant! Si tu peux me flatter au point que je me plaise à moi-même, si tu peux m'abuser par des jouissances, que ce soit pour moi le dernier jour! Je t'offre le pari!

MÉPHISTOPHÉLÈS

Tope !

FAUST

Et réciproquement! Si je dis à l'instant : Reste donc! tu me plais tant! Alors tu peux m'entourer de liens! Alors, je consens à m'anéantir! Alors la cloche des morts peut résonner, alors tu es libre de ton service... Que l'heure sonne, que l'aiguille tombe, que le temps n'existe plus pour moi !

MÉPHISTOPHÉLÈS

Penses-y bien, nous ne l'oublierons pas !

FAUST

Tu as tout à fait raison là-dessus ; je ne me suis pas frivolement engagé ; et puisque je suis constamment esclave, qu'importe que ce soit de toi ou de tout autre ?

MÉPHISTOPHÉLÈS

Je vais donc aujourd'hui même, à la table de monsieur le docteur, remplir mon rôle de valet. Un mot encore : pour l'amour de la vie ou de la mort, je demande pour moi une couple de lignes.

FAUST

Il te faut aussi un écrit, pédant ? Ne sais-tu pas ce que c'est qu'un homme, ni ce que la parole a de valeur ? N'est-ce pas assez que la mienne doive, pour l'éternité, disposer de mes jours ? Quand le monde s'agite de tous les orages, crois-tu qu'un simple mot d'écrit soit une obligation assez puissante ?... Cependant, une telle chimère nous tient toujours au cœur, et qui pourrait s'en affranchir ? Heureux qui porte sa foi pure au fond de son cœur, il n'aura regret d'aucun sacrifice ! Mais un parchemin écrit et cacheté est un épouvantail pour tout le monde, le serment va expirer sous la plume ; et l'on ne reconnaît que l'empire de la cire et du parchemin. Esprit malin, qu'exiges-tu de moi ? airain, marbre, parchemin, papier ? Faut-il écrire avec un style, un burin, ou une plume ? Je t'en laisse le choix libre.

MÉPHISTOPHÉLÈS

A quoi bon tout ce bavardage ? Pourquoi t'emporter avec tant de chaleur ? Il suffira du premier papier venu. Tu te serviras pour signer ton nom d'une petite goutte de sang.

FAUST

Si cela t'est absolument égal, ceci devra rester pour la plaisanterie.

MÉPHISTOPHÉLÈS

Le sang est un suc tout particulier.

FAUST

Aucune crainte maintenant que je viole cet engagement.
L'exercice de toute ma force est justement ce que je
promets. Je me suis trop enflé, il faut maintenant que
j'appartienne à ton espèce; le grand Esprit m'a dédaigné;
la nature se ferme devant moi; le fil de ma pensée est
rompu, et je suis dégoûté de toute science. Il faut que dans
le gouffre de la sensualité mes passions ardentes s'apaisent! Qu'au sein de voiles magiques et impénétrables de
nouveaux miracles s'apprêtent! Précipitons-nous dans le
murmure des temps, dans les vagues agitées du destin!
Et qu'ensuite la douleur et la jouissance, le succès et
l'infortune, se suivent comme ils pourront. Il faut
désormais que l'homme s'occupe sans relâche.

MÉPHISTOPHÉLÈS

Il ne vous est assigné aucune limite, aucun but. S'il
vous plaît de goûter un peu de tout, d'attraper au vol ce
qui se présentera, faites comme vous l'entendrez. Allons,
attachez-vous à moi, et ne faites pas le timide !

FAUST

Tu sens bien qu'il ne s'agit pas là d'amusements. Je me
consacre au tumulte, aux jouissances les plus douloureuses, à l'amour qui sent la haine, à la paix qui sent le
désespoir. Mon sein, guéri de l'ardeur de la science, ne
sera désormais fermé à aucune douleur : et ce qui est le
partage de l'humanité tout entière, je veux le concentrer
dans le plus profond de mon être, je veux, par mon esprit,
atteindre à ce qu'elle a de plus élevé et de plus secret; je
veux entasser sur mon cœur tout le bien et tout le mal
qu'elle contient, et me gonflant comme elle, me briser
aussi de même.

MÉPHISTOPHÉLÈS

Ah! vous pouvez me croire, moi qui pendant plusieurs
milliers d'années ai mâché un si dur aliment : je vous
assure que, depuis le berceau jusqu'à la bière, aucun
homme ne peut digérer le vieux levain! croyez-en l'un
de nous, tout cela n'est fait que pour un Dieu! Il s'y
contemple dans un éternel éclat; il nous a créés, nous,
pour les ténèbres, et, pour vous, le jour vaut la nuit et la
nuit le jour.

FAUST

Mais je le veux.

MÉPHISTOPHÉLÈS

C'est entendu ! Je suis encore inquiet sur un point : le temps est court, l'art est long. Je pense que vous devriez vous instruire. Associez-vous avec un poète ; laissez-le se livrer à son imagination, et entasser sur votre tête toutes les qualités les plus nobles, et les plus honorables, le courage du lion, l'agilité du cerf, le sang bouillant de l'Italien, la fermeté de l'habitant du Nord : laissez-le trouver le secret de concilier en vous la grandeur d'âme avec la finesse, et, d'après le même plan, de vous douer des passions ardentes de la jeunesse. Je voudrais connaître un tel homme ; je l'appellerais monsieur Microcosmos *.

FAUST

Eh ! que suis-je donc ?... Cette couronne de l'humanité vers laquelle tous les cœurs se pressent, m'est-il impossible de l'atteindre ?

MÉPHISTOPHÉLÈS

Tu es, au reste... ce que tu es. Entasse sur ta tête des perruques à mille marteaux, chausse tes pieds de cothurnes hauts d'une aune, tu n'en resteras pas moins ce que tu es.

FAUST

Je le sens, en vain j'aurai accumulé sur moi tous les trésors de l'esprit humain... lorsque je veux enfin prendre quelque repos, aucune force nouvelle ne jaillit de mon cœur ; je ne puis grandir de l'épaisseur d'un cheveu, ni me rapprocher tant soit peu de l'infini.

MÉPHISTOPHÉLÈS

Mon bon monsieur, c'est que vous voyez tout, justement comme on le voit d'ordinaire ; il vaut mieux bien prendre les choses avant que les plaisirs de la vie vous échappent pour jamais. — Allons donc ! tes mains, tes pieds, ta tête et ton derrière t'appartiennent sans doute ; mais ce dont tu jouis pour la première fois t'en appartient-il moins ? Si tu possèdes six chevaux, leurs forces ne sont-elles pas les tiennes ? tu les montes, et te voici, homme ordinaire, comme si tu avais vingt-quatre jambes. Vite ! laisse là tes sens tranquilles, et mets-toi en route avec eux à travers le monde ! Je te le dis : un bon vivant qui philosophe est comme un animal qu'un lutin fait tourner

---

* Petit monde.

en cercle autour d'une lande aride, tandis qu'un beau
pâturage vert s'étend à l'entour.

FAUST

Comment commençons-nous ?

MÉPHISTOPHÉLÈS

Nous partons tout de suite, ce cabinet n'est qu'un lieu
de torture : appelle-t-on vivre, s'ennuyer soi et ses petits
drôles ? Laisse cela à ton voisin la grosse panse ! A quoi
bon te tourmenter à battre la paille ? Ce que tu sais
de mieux, tu n'oserais le dire à l'écolier. J'en entends
justement un dans l'avenue.

FAUST

Il ne m'est point possible de le voir.

MÉPHISTOPHÉLÈS

Le pauvre garçon est là depuis longtemps, il ne faut
pas qu'il s'en aille mécontent. Viens ! donne-moi ta robe
et ton bonnet ; le déguisement me siéra bien. *(Il s'habille.)*
Maintenant repose-toi sur mon esprit ; je n'ai besoin que
d'un petit quart d'heure. Prépare tout cependant pour
notre beau voyage. *(Faust sort.)*

MÉPHISTOPHÉLÈS *(dans les longs habits de Faust)*

Méprise bien la raison et la science, suprême force de
l'humanité. Laisse-toi désarmer par les illusions et les
prestiges de l'esprit malin, et tu es à moi sans restriction.
— Le sort l'a livré à un esprit qui marche toujours intré-
pidement devant lui et dont l'élan rapide a bientôt surmonté tous les plaisirs de la terre ! — Je vais sans relâche
le traîner dans les déserts de la vie ; il se débattra, me
saisira, s'attachera à moi, et son insatiabilité verra des
aliments et des liqueurs se balancer devant ses lèvres,
sans jamais les toucher ; c'est en vain qu'il implorera
quelque soulagement, et ne se fût-il pas donné au diable,
il n'en périrait pas moins.

UN ÉCOLIER *(entre)*

L'ÉCOLIER

Je suis ici depuis peu de temps, et je viens, plein de
soumission, causer et faire connaissance avec un homme
qu'on ne m'a nommé qu'avec vénération.

MÉPHISTOPHÉLÈS

Votre honnêteté me réjouit fort ! Vous voyez en moi un homme tout comme un autre. Avez-vous déjà beaucoup étudié ?

L'ÉCOLIER

Je viens vous prier de vous charger de moi ! Je suis muni de bonne volonté, d'une dose passable d'argent, et de sang frais ; ma mère a eu bien de la peine à m'éloigner d'elle, et j'en profiterais volontiers pour apprendre ici quelque chose d'utile.

MÉPHISTOPHÉLÈS

Vous êtes vraiment à la bonne source.

L'ÉCOLIER

A parler vrai, je voudrais déjà m'éloigner. Parmi ces murs, ces salles, je ne me plairai en aucune façon ; c'est un espace bien étranglé, on n'y voit point de verdure, point d'arbres, et, dans ces salles, sur les bancs, je perds l'ouïe, la vue et la pensée.

MÉPHISTOPHÉLÈS

Cela ne dépend que de l'habitude : c'est ainsi qu'un enfant ne saisit d'abord qu'avec répugnance le sein de sa mère, et bientôt cependant y puise avec plaisir sa nourriture. Il en sera ainsi du sein de la sagesse, vous le désirerez chaque jour davantage.

L'ÉCOLIER

Je veux me pendre de joie à son cou ; cependant, enseignez-moi le moyen d'y parvenir.

MÉPHISTOPHÉLÈS

Expliquez-vous avant de poursuivre ; quelle faculté choisissez-vous ?

L'ÉCOLIER

Je souhaiterais de devenir fort instruit, et j'aimerais assez à pouvoir embrasser tout ce qu'il y a sur la terre et dans le ciel, la science et la nature.

MÉPHISTOPHÉLÈS

Vous êtes en bon chemin ; cependant il ne faudrait pas vous écarter beaucoup.

L'ÉCOLIER

M'y voici corps et âme; mais je serais bien aise de pouvoir disposer d'un peu de liberté et de bon temps aux jours de grandes fêtes, pendant l'été.

MÉPHISTOPHÉLÈS

Employez le temps, il nous échappe si vite! cependant l'ordre vous apprendra à en gagner. Mon bon ami, je vous conseille avant tout le cours de logique. Là on vous dressera bien l'esprit, on vous l'affublera de bonnes bottes espagnoles, pour qu'il trotte prudemment dans le chemin de la routine, et n'aille pas se promener en zigzag comme un feu follet. Ensuite, on vous apprendra tout le long du jour que pour ce que vous faites en un clin d'œil, comme boire et manger, un, deux, trois, est indispensable. Il est de fait que la fabrique des pensées est comme un métier de tisserand, où un mouvement du pied agite des milliers de fils, où la navette monte et descend sans cesse, où les fils glissent invisibles, où mille nœuds se forment d'un seul coup : le philosophe entre ensuite, et vous démontre qu'il doit en être ainsi : le premier est cela, le second cela, donc le troisième et le quatrième cela; et que si le premier et le second n'existaient pas, le troisième et le quatrième n'existeraient pas davantage. Les étudiants de tous les pays prisent fort ce raisonnement, et aucun d'eux pourtant n'est devenu tisserand. Qui veut reconnaître et détruire un être vivant commence par en chasser l'âme : alors il en a entre les mains toutes les parties; mais, hélas! que manque-t-il? rien que le lien intellectuel. La chimie nomme cela *encheiresin naturæ ;* elle se moque ainsi d'elle-même, et l'ignore.

L'ÉCOLIER

Je ne puis tout à fait vous comprendre.

MÉPHISTOPHÉLÈS

Cela ira bientôt beaucoup mieux, quand vous aurez appris à tout réduire et à tout classer convenablement.

L'ÉCOLIER

Je suis si hébété de tout cela, que je crois avoir une roue de moulin dans la tête.

MÉPHISTOPHÉLÈS

Et puis, il faut avant tout vous mettre à la métaphysique : là vous devrez scruter profondément ce qui ne

convient pas au cerveau de l'homme; que cela aille ou
n'aille pas, ayez toujours à votre service un mot technique.
Mais d'abord, pour cette demi-année, ordonnez votre
temps le plus régulièrement possible. Vous avez par jour
cinq heures de travail; soyez ici au premier coup de cloche
après vous être préparé toutefois, et avoir bien étudié
vos paragraphes, afin d'être d'autant plus sûr de ne rien
dire que ce qui est dans le livre; et cependant ayez grand
soin d'écrire, comme si le Saint-Esprit dictait.

L'ÉCOLIER

Vous n'aurez pas besoin de me le dire deux fois; je
suis bien pénétré de toute l'utilité de cette méthode : car,
quand on a mis du noir sur du blanc, on rentre chez soi
tout à fait soulagé.

MÉPHISTOPHÉLÈS

Pourtant, choisissez une faculté.

L'ÉCOLIER

Je ne puis m'accommoder de l'étude du droit.

MÉPHISTOPHÉLÈS

Je ne vous en ferai pas un crime : je sais trop ce que
c'est que cette science. Les lois et les droits se succèdent
comme une éternelle maladie; ils se traînent de générations en générations, et s'avancent sourdement d'un
lieu dans un autre. Raison devient folie, bienfait devient
tourment : malheur à toi, fils de tes pères, malheur à toi!
car du droit né avec nous, hélas! il n'en est jamais
question.

L'ÉCOLIER

Vous augmentez encore par là mon dégoût : ô heureux
celui que vous instruisez! J'ai presque envie d'étudier la
théologie.

MÉPHISTOPHÉLÈS

Je désirerais ne pas vous induire en erreur, quant à ce
qui concerne cette science; il est si difficile d'éviter la
fausse route; elle renferme un poison si bien caché, que
l'on a tant de peine à distinguer du remède! Le mieux
est, dans ces leçons-là, si toutefois vous en suivez, de
jurer toujours sur la parole du maître. Au total... arrêtez-
vous aux mots! et vous arriverez alors par la route la
plus sûre au temple de la certitude.

L'ÉCOLIER

Cependant un mot doit toujours contenir une idée.

MÉPHISTOPHÉLÈS

Fort bien ! mais il ne faut pas trop s'en inquiéter, car, où les idées manquent, un mot peut être substitué à propos ; on peut avec des mots discuter fort convenablement, avec des mots bâtir un système ; les mots se font croire aisément, on n'en ôterait pas un iota.

L'ÉCOLIER

Pardonnez si je vous fais tant de demandes, mais il faut encore que je vous en importune... Ne me parlerez-vous pas un moment de la médecine ? Trois années, c'est bien peu de temps, et, mon Dieu ! le champ est si vaste ; souvent un seul signe du doigt suffit pour nous mener loin !

MÉPHISTOPHÉLÈS *(à part)*

Ce ton sec me fatigue, je vais reprendre mon rôle de diable. *(Haut.)* L'esprit de la médecine est facile à saisir ; vous étudiez bien le grand et le petit monde, pour les laisser aller enfin à la grâce de Dieu. C'est en vain que vous vous élanceriez après la science, chacun n'apprend que ce qu'il peut apprendre ; mais celui qui sait profiter du moment, c'est là l'homme avisé. Vous êtes encore assez bien bâti, la hardiesse n'est pas ce qui vous manque, et si vous avez de la confiance en vous-même, vous en inspirerez à l'esprit des autres. Surtout, apprenez à conduire les femmes ; c'est leur éternel *hélas !* modulé sur tant de tons différents, qu'il faut traiter toujours par la même méthode, et tant que vous serez avec elles à moitié respectueux, vous les aurez toutes sous la main. Un titre pompeux doit d'abord les convaincre que votre art surpasse de beaucoup tous les autres : alors vous pourrez parfaitement vous permettre certaines choses, dont plusieurs années donneraient à peine le droit à un autre que vous : ayez soin de leur tâter souvent le pouls, et en accompagnant votre geste d'un coup d'œil ardent, passez le bras autour de leur taille élancée, comme pour voir si leur corset est bien lacé.

L'ÉCOLIER

Cela se comprend de reste : on sait son monde !

MÉPHISTOPHÉLÈS

Mon bon ami, toute théorie est sèche, et l'arbre précieux de la vie est fleuri.

L'ÉCOLIER

Je vous jure que cela me fait l'effet d'un rêve; oserai-je vous déranger une autre fois pour profiter plus parfaitement de votre sagesse?

MÉPHISTOPHÉLÈS

J'y mettrai volontiers tous mes soins.

L'ÉCOLIER

Il me serait impossible de revenir sans vous avoir cette fois présenté mon album; accordez-moi la faveur d'une remarque...

MÉPHISTOPHÉLÈS

J'y consens. *(Il écrit et le lui rend.)* Eritis sicut Deus, *bonum et malum scientes. (Il salue respectueusement, et se retire.)*

MÉPHISTOPHÉLÈS

Suis seulement la vieille sentence de mon cousin le serpent, tu douteras bientôt de ta ressemblance divine.

FAUST

Où devons-nous aller maintenant?

MÉPHISTOPHÉLÈS

Où il te plaira. Nous pouvons voir le grand et le petit monde : quel plaisir, quelle utilité seront le fruit de ta course!

FAUST

Mais, par ma longue barbe, je n'ai pas le plus léger savoir-vivre; ma recherche n'aura point de succès, car je n'ai jamais su me produire dans le monde; je me sens si petit en présence des autres! je serais embarrassé à tout moment.

MÉPHISTOPHÉLÈS

Mon bon ami, tout cela se donne; aie confiance en toi-même, et tu sauras vivre.

FAUST

Comment sortirons-nous d'ici? Où auras-tu des chevaux, des valets et un équipage?

MÉPHISTOPHÉLÈS

Étendons ce manteau, il nous portera à travers les
airs : pour une course aussi hardie, tu ne prends pas un
lourd paquet avec toi; un peu d'air inflammable que je
vais préparer nous enlèvera bientôt de terre, et si nous
sommes légers, cela ira vite. Je te félicite du nouveau
genre de vie que tu viens d'embrasser.

CAVE D'AUERBACH, A LEIPZIG
(Écot de joyeux compagnons)

FROSCH

Personne ne boit ! Personne ne rit ! Je vais vous apprendre à faire la mine ! Vous voilà aujourd'hui à fumer
comme de la paille mouillée, vous qui brillez ordinairement comme un beau feu de joie.

BRANDER

C'est toi qui en es cause; tu ne mets rien sur le tapis,
pas une grosse bêtise, pas une petite saleté.

FROSCH *(lui verse un verre de vin sur la tête)*

En voici des deux à la fois.

BRANDER

Double cochon !

FROSCH

Vous le voulez, j'en conviens !

SIEBEL

A la porte ceux qui se fâchent ! Qu'on chante à la ronde
à gorge déployée, qu'on boive, et qu'on crie ! oh ! eh !
holà ! oh !

ALTMAYER

Ah Dieu ! je suis perdu ! Apportez du coton; le drôle
me rompt les oreilles !

SIEBEL

Quand la voûte résonne, on peut juger du volume de la
basse.

FROSCH

C'est juste; à la porte ceux qui prendraient mal les
choses ! A ! tara lara da !

ALTMAYER

A ! tara lara da !

FROSCH

Les gosiers sont en voix. *(Il chante)*

> *Le très saint empire de Rome,*
> *Comment tient-il encor debout ?*

BRANDER

Une sotte chanson ! Fi ! une chanson politique ! une triste chanson !... Remerciez Dieu chaque matin de n'avoir rien à démêler avec l'empire de Rome. Je regarde souvent comme un grand bien pour moi de n'être empereur, ni chancelier. Cependant, il ne faut pas que nous manquions de chef ; et nous devons élire un pape. Vous savez quelle est la qualité qui pèse dans la balance pour élever un homme à ce rang.

FROSCH *(chante)*

> *Lève-toi vite, et va, beau rossignol,*
> *Dix mille fois saluer ma maîtresse.*

SIEBEL

Point de salut à ta maîtresse ; je n'en veux rien entendre.

FROSCH

A ma maîtresse salut et baiser ! Ce n'est pas toi qui m'en empêcheras. *(Il chante.)*

> *Tire tes verrous, il est nuit,*
> *Tire tes verrous, l'amant veille ;*
> *Il est tard, tire-les sans bruit.*

SIEBEL

Oui ! chante, chante, loue-la bien, vante-la bien ! j'aurai aussi mon tour de rire. Elle m'a lâché, elle t'en fera autant ! Qu'on lui donne un kobold * pour galant, et il pourra badiner avec elle sur le premier carrefour venu. Un vieux bouc, qui revient du Blocksberg, peut, en passant au galop, lui souhaiter une bonne nuit ; mais un brave garçon de chair et d'os est beaucoup trop bon pour une fille de cette espèce ! Je ne lui veux point d'autre salut que de voir toutes ses vitres cassées.

* *Esprit familier.*

BRANDER *(frappant sur la table)*

Paix là ! paix là ! écoutez-moi ! vous avouerez, messieurs, que je sais vivre : il y a des amoureux ici, et je dois, d'après les usages, leur donner pour la bonne nuit tout ce qu'il y a de mieux. Attention ! une chanson de la plus nouvelle facture ! et répétez bien fort la ronde avec moi ! *(Il chante.)*

Certain rat dans une cuisine
Avait pris place, et le frater
S'y traita si bien, que sa mine
Eût fait envie au gros Luther.
Mais un beau jour, le pauvre diable,
Empoisonné, sauta dehors,
Aussi triste, aussi misérable,
Que s'il avait l'amour au corps.

CHŒUR

Que s'il avait l'amour au corps !

BRANDER

Il courait devant et derrière ;
Il grattait, reniflait, mordait,
Parcourait la maison entière,
Où de douleur il se tordait...
Au point qu'à le voir en délire
Perdre ses cris et ses efforts,
Les mauvais plaisants pouvaient dire :
Hélas ! il a l'amour au corps !

CHŒUR

Hélas ! il a l'amour au corps !

BRANDER

Dans le fourneau, le pauvre sire
Crut enfin se cacher très bien ;
Mais il se trompait, et le pire,
C'est qu'il y creva comme un chien.
La servante, méchante fille,
De son malheur rit bien alors :
Ah ! disait-elle, comme il grille !...
Il a vraiment l'amour au corps !

CHŒUR

Il a vraiment l'amour au corps !

SIEBEL

Comme ces plats coquins se réjouissent! C'est un beau chef-d'œuvre à citer que l'empoisonnement d'un pauvre rat!

BRANDER

Tu prends le parti de tes semblables!

ALTMAYER

Le voilà bien avec son gros ventre et sa tête pelée! comme son malheur le rend tendre! Dans ce rat qui crève, il voit son portrait tout craché!

FAUST et MÉPHISTOPHÉLÈS

MÉPHISTOPHÉLÈS

Je dois avant tout t'introduire dans une société joyeuse, afin que tu voies comme on peut aisément mener la vie! Chaque jour est ici pour le peuple une fête nouvelle; avec peu d'esprit et beaucoup de *laisser-aller*, chacun d'eux tourne dans son cercle étroit de plaisirs, comme un jeune chat jouant avec sa queue; tant qu'ils ne se plaignent pas d'un mal de tête, et que l'hôte veut bien leur faire crédit, ils sont contents et sans soucis.

BRANDER

Ceux-là viennent d'un voyage : on voit à leur air étranger qu'ils ne sont pas ici depuis une heure.

FROSCH

Tu as vraiment raison! honneur à notre Leipzig! c'est un petit Paris, et cela vous forme joliment son monde.

SIEBEL

Pour qui prends-tu ces étrangers?

FROSCH

Laisse-moi faire un peu : avec une rasade je tirerai les vers du nez à ces marauds comme une dent de lait. Ils me semblent être de noble maison, car ils ont le regard fier et mécontent.

BRANDER

Ce sont des charlatans, je gage!

ALTMAYER

Peut-être.

FROSCH

Attention ! que je les mystifie !

MÉPHISTOPHÉLÈS *(à Faust)*

Les pauvres gens ne soupçonnent jamais le diable,
quand même il les tiendrait à la gorge.

FAUST

Nous vous saluons, messieurs.

SIEBEL

Grand merci de votre honnêteté ! *(Bas, regardant de
travers Méphistophélès.)* Qu'a donc ce coquin à clocher
sur un pied ?

MÉPHISTOPHÉLÈS

Nous est-il permis de prendre place parmi vous ?
l'agrément de la société nous dédommagera du bon vin
qui manque.

ALTMAYER

Vous avez l'air bien dégoûté.

FROSCH

Vous serez partis bien tard de Rippach ; avez-vous
soupé cette nuit chez M. Jean ?

MÉPHISTOPHÉLÈS

Nous avons passé sa maison sans nous y arrêter. La
dernière fois nous lui avions parlé, il nous entretint longtemps de ses cousins, il nous chargea de leur dire bien
des choses. *(Il s'incline vers Frosch.)*

ALTMAYER *(bas)*

Te voilà dedans ! il entend son affaire !

SIEBEL

C'est un gaillard avisé.

FROSCH

Eh bien ! attends un peu : je saurai bien le prendre.

MÉPHISTOPHÉLÈS

Si je ne me trompe, nous entendîmes en entrant un chœur de voix exercées. Et certes, les chants doivent sous ces voûtes résonner admirablement.

FROSCH

Seriez-vous donc un virtuose ?

MÉPHISTOPHÉLÈS

Oh ! non ! le talent est bien faible, mais le désir est grand.

FROSCH

Donnez-nous une chanson.

MÉPHISTOPHÉLÈS

Tant que vous en voudrez.

SIEBEL

Mais quelque chose de nouveau.

MÉPHISTOPHÉLÈS

Nous revenons d'Espagne, c'est l'aimable pays du vin et des chansons. *(Il chante.)*

> *Une puce gentille*
> *Chez un prince logeait...*

FROSCH

Ecoutez ! une puce !... avez-vous bien saisi cela ? Une puce me semble à moi un hôte assez désagréable.

MÉPHISTOPHÉLÈS *(chante)*

> *Une puce gentille*
> *Chez un prince logeait,*
> *Comme sa propre fille,*
> *Le brave homme l'aimait,*
> *Et (l'histoire l'assure)*
> *Par son tailleur, un jour,*
> *Lui fit prendre mesure*
> *Pour un habit de cour.*

BRANDER

N'oubliez point d'enjoindre au tailleur de la prendre bien exacte, et que, s'il tient à sa tête, il ne laisse pas faire à la culotte le moindre pli.

MÉPHISTOPHÉLÈS

L'animal, plein de joie,
Dès qu'il se vit paré
D'or, de velours, de soie,
Et de croix décoré,
Fit venir de province
Ses frères et ses sœurs,
Qui, par ordre du prince,
Devinrent grands seigneurs.

Mais ce qui fut le pire,
C'est que les gens de cour,
Sans en oser rien dire,
Se grattaient tout le jour...
Cruelle politique !
Quel ennui que cela !...
Quand la puce nous pique,
Amis, écrasons-la !

CHŒUR *(avec acclamation)*

Quand la puce nous pique,
Amis ! écrasons-la !

FROSCH

Bravo ! bravo ! voilà du bon !

SIEBEL

Ainsi soit-il de toutes les puces !

BRANDER

Serrez les doigts et pincez-les ferme !

ALTMAYER

Vive la liberté ! vive le vin !

MÉPHISTOPHÉLÈS

Je boirais volontiers un verre en l'honneur de la liberté, si vos vins étaient tant soit peu meilleurs.

SIEBEL

N'en dites pas davantage...

MÉPHISTOPHÉLÈS

Je craindrais d'offenser l'hôte, sans quoi je ferais goûter aux aimables convives ce qu'il y a de mieux dans notre cave.

SIEBEL

Allez toujours ! je prends tout sur moi.

FROSCH

Donnez-nous-en un bon verre, si vous voulez qu'on le
loue, car, quand je veux en juger, il faut que j'aie la
bouche bien pleine.

ALTMAYER *(bas)*

Ils sont du Rhin, à ce que je vois.

MÉPHISTOPHÉLÈS

Procurez-moi un foret !

BRANDER

Qu'en voulez-vous faire ? Vous n'avez pas sans doute
vos tonneaux devant la porte.

ALTMAYER

Là derrière, l'hôte a déposé un panier d'outils.

MÉPHISTOPHÉLÈS *(prend le foret de Frosch)*

Dites maintenant ce que vous voulez goûter.

FROSCH

Y pensez-vous ? est-ce que vous en auriez de tant de
sortes ?

MÉPHISTOPHÉLÈS

Je laisse à chacun le choix libre.

ALTMAYER *(à Frosch)*

Ah ! ah ! tu commences déjà à te lécher les lèvres.

FROSCH

Bon ! si j'ai le choix, il me faut du vin du Rhin ; la patrie
produit toujours ce qu'il y a de mieux.

MÉPHISTOPHÉLÈS *(piquant un trou dans le rebord de la
table, à la place où Frosch s'assied)*

Procurez-moi un peu de cire pour servir de bouchon.

ALTMAYER

Ah çà ! voilà de l'escamotage.

MÉPHISTOPHÉLÈS (*à Brander*)

Et vous ?

BRANDER

Je désirerais du vin de Champagne, et qu'il fût bien mousseux ! (*Méphistophélès continue de forer, et pendant ce temps quelqu'un a fait des bouchons, et les a enfoncés dans les trous.*)

BRANDER

On ne peut pas toujours se passer de l'étranger ; les bonnes choses sont souvent si loin ! Un bon Allemand ne peut souffrir les Français, mais pourtant il boit leurs vins très volontiers.

SIEBEL (*pendant que Méphistophélès s'approche de sa place*)

Je dois l'avouer, je n'aime pas l'aigre : donnez-moi un verre de quelque chose de doux.

MÉPHISTOPHÉLÈS (*forant*)

Aussi vais-je vous faire couler du Tokay.

ALTMAYER

Non, monsieur ; regardez-moi en face ! Je le vois bien, vous nous faites aller.

MÉPHISTOPHÉLÈS

Hé ! hé ! avec d'aussi nobles convives, ce serait un peu trop risquer. Allons vite ! voilà assez de dit : de quel vin puis-je servir ?

ALTMAYER

De tous ! et assez causé ! (*Après que les trous sont forés et bouchés, Méphistophélès se lève.*)

MÉPHISTOPHÉLÈS (*avec des gestes singuliers*)

> *Si des cornes bien élancées*
> *Croissent au front du bouquetin ;*
> *Si le cep produit du raisin,*
> *Tables en bois de trous percées*
> *Peuvent aussi donner du vin.*
> *C'est un miracle, je vous jure ;*
> *Mais, messieurs, comme vous savez,*
> *Rien d'impossible à la nature !*
> *Débouchez les trous, et buvez !*

TOUS *(tirant les bouchons et recevant dans leurs verres le vin désiré par chacun)*

La belle fontaine qui nous coule là !

MÉPHISTOPHÉLÈS

Gardez-vous seulement de rien répandre.

TOUS *(chantent)*

Nous buvons, buvons, buvons,
Comme cinq cents cochons !

Ils se remettent à boire.

MÉPHISTOPHÉLÈS

Voilà mes coquins lancés, vois comme ils y vont.

FAUST

J'ai envie de m'en aller.

MÉPHISTOPHÉLÈS

Encore une minute d'attention, et tu vas voir la bestia-
lité dans toute sa candeur.

SIEBEL *(boit sans précaution, le vin coule à terre et se change en flamme)*

Au secours ! au feu ! au secours ! l'enfer brûle !

MÉPHISTOPHÉLÈS *(parlant à la flamme)*

Calme-toi, mon élément chéri ! *(Aux compagnons.)*
Pour cette fois, ce n'était rien qu'une goutte de feu du
purgatoire.

SIEBEL

Qu'est-ce que cela signifie ? Attendez ! vous le payerez
cher ; il paraît que vous ne nous connaissez guère.

FROSCH

Je lui conseille de recommencer !

ALTMAYER

Mon avis est qu'il faut le prier poliment de s'en aller.

. SIEBEL

Que veut ce monsieur ? Oserait-il bien mettre en œuvre
ici son *hocuspocus* * ?

* *Terme de sorcellerie.*

MÉPHISTOPHÉLÈS

Paix! vieux sac à vin!

SIEBEL

Manche à balai! tu veux encore faire le manant!

BRANDER

Attends un peu, les coups vont pleuvoir!

ALTMAYER *(tire un bouchon de la table,
un jet de feu s'élance et l'atteint)*

Je brûle! je brûle!

SIEBEL

Sorcellerie!... sautez dessus! le coquin va nous le payer!

Ils tirent leurs couteaux, et s'élancent vers Méphistophélès.

MÉPHISTOPHÉLÈS *(avec des gestes graves)*

*Tableaux et paroles magiques,
Par vos puissants enchantements,
Troublez leurs esprits et leurs sens!*

Ils se regardent l'un l'autre avec étonnement.

ALTMAYER

Où suis-je? Quel beau pays!

FROSCH

Un coteau de vignes! y vois-je bien?

SIEBEL

Et des grappes sous la main.

BRANDER

Là, sous les pampres verts, voyez quel pied! voyez
quelle grappe! *(Il prend Siebel par le nez, les autres en
font autant mutuellement et lèvent les couteaux.)*

MÉPHISTOPHÉLÈS *(comme plus haut)*

*Maintenant, partons : c'est assez!
Source de vin, riche vendange,
Illusions, disparaissez!...
C'est ainsi que l'enfer se venge.*

*Il disparaît avec Faust; tous les compagnons lâchent
prise.*

SIEBEL

Qu'est-ce que c'est?

ALTMAYER

Quoi?

FROSCH

Tiens! c'était donc ton nez!

BRANDER *(à Siebel)*

Et j'ai le tien dans la main!

ALTMAYER

C'est un coup à vous rompre les membres. Apportez un siège, je tombe en défaillance.

FROSCH

Non, dis-moi donc ce qui est arrivé.

SIEBEL

Où est-il, le drôle? Si je l'attrape, il ne sortira pas vivant de mes mains.

ALTMAYER

Je l'ai vu passer par la porte de la cave... à cheval sur un tonneau... J'ai les pieds lourds comme du plomb. *(Il se retourne vers la table.)* Ma foi! le vin devrait bien encore couler!

SIEBEL

Tout cela n'était que tromperie, illusion et mensonge!

FROSCH

J'aurais pourtant bien juré boire du vin!

BRANDER

Mais que sont devenues ces belles grappes?

ALTMAYER

Qu'on vienne dire encore qu'il ne faut pas croire aux miracles!

CUISINE DE SORCIÈRE

*(Dans un âtre enfoncé, une grosse marmite est sur le feu.
A travers la vapeur qui s'en élève, apparaissent des figures
singulières. Une* guenon, *assise près de la marmite, l'écume,
et veille à ce qu'elle ne répande pas. Le* mâle, *avec ses petits,
est assis près d'elle, et se chauffe. Les murs et le plafond sont
tapissés d'outils singuliers à l'usage de la Sorcière.)*

FAUST, MÉPHISTOPHÉLÈS

FAUST

Tout cet étrange appareil de sorcellerie me répugne;
quelles jouissances peux-tu me promettre au sein de cet
amas d'extravagances? Quels conseils attendre d'une
vieille femme? Et y a-t-il dans cette cuisine quelque
breuvage qui puisse m'ôter trente ans de dessus le corps?
Malheur à moi, si tu ne sais rien de mieux! J'ai déjà
perdu toute espérance. Se peut-il que la nature et qu'un
esprit supérieur n'aient point un baume capable d'adoucir
mon sort?

MÉPHISTOPHÉLÈS

Mon ami, tu parles encore avec sagesse. Il y a bien,
pour se rajeunir, un moyen tout naturel, mais il se trouve
dans un autre livre, et c'en est un singulier chapitre.

FAUST

Je veux le connaître.

MÉPHISTOPHÉLÈS

Bon! C'est un moyen qui ne demande argent, médecine,
ni sortilège: rends-toi tout de suite dans les champs, mets-
toi à bêcher et à creuser, resserre ta pensée dans un
cercle étroit, contente-toi d'une nourriture simple; vis
comme une bête avec les bêtes, et ne dédaigne pas de
fumer toi-même ton patrimoine; c'est, crois-moi, le
meilleur moyen de te rajeunir de quatre-vingts ans.

FAUST

Je n'en ai point l'habitude, et je ne saurais m'accou-
tumer à prendre en main la bêche. Une vie étroite n'est
pas ce qui me convient.

MÉPHISTOPHÉLÈS

Il faut donc que la sorcière s'en mêle.

FAUST

Mais pourquoi justement cette vieille? ne peux-tu brasser toi-même le breuvage?

MÉPHISTOPHÉLÈS

Ce serait un beau passe-temps! j'aurais plus tôt fait de bâtir mille ponts. Ce travail demande non seulement de l'art et du savoir, mais encore beaucoup de patience. Un esprit tranquille emploie bien des années à le confectionner. Le temps peut seul donner de la vertu à la fermentation; et tous les ingrédients qui s'y rapportent sont des choses bien étranges! Le diable le lui a enseigné, mais ne pourrait pas le faire lui-même. *(Il aperçoit les animaux.)* Vois, quelle gentille espèce! voici la servante, voilà le valet... *(Aux animaux.)*

Je n'aperçois pas, mes amis,
La bonne femme!

LES ANIMAUX

Elle est allée,
Par le tuyau de la cheminée,
Dîner sans doute hors du logis.

MÉPHISTOPHÉLÈS

Mais, pour sa course, d'ordinaire,
Quel temps prend-elle cependant?

LES ANIMAUX

Le temps que nous prenons à faire...
Chauffer nos pieds en l'attendant.

MÉPHISTOPHÉLÈS *(à Faust)*

Comment trouves-tu ces aimables animaux?

FAUST

Les plus dégoûtants que j'aie jamais vus.

MÉPHISTOPHÉLÈS

Non! un discours comme celui-là est justement ce qui me convient le mieux. *(Aux animaux.)*

> *Dites-moi, drôles que vous êtes,*
> *Qu'est-ce que vous brassez ainsi ?*

LES ANIMAUX

Nous faisons la soupe des bêtes.

MÉPHISTOPHÉLÈS

Vous avez bien du monde ici ?

LE CHAT (*s'approche et flatte Méphistophélès*)

> *Oh ! jouons tous deux,*
> *Et fais ma fortune ;*
> *Un peu de pécune*
> *Me rendrait heureux.*
> *Ami, jouons, de grâce !*
> *Pauvre, je ne suis rien,*
> *Mais, si j'avais du bien,*
> *J'obtiendrais une belle place.*

MÉPHISTOPHÉLÈS

Comme il s'estimerait heureux, le singe, s'il pouvait seulement mettre à la loterie ! (*Pendant ce temps les autres animaux jouent avec une grosse boule, et la font rouler.*)

LE CHAT

> *Voici le monde :*
> *La boule ronde*
> *Monte et descend,*
> *Creuse et légère,*
> *Qui, comme verre,*
> *Craque et se fend :*
> *Fuis, cher enfant !*
> *Cette parcelle*
> *Dont l'étincelle*
> *Te plaît si fort...*
> *Donne la mort !*

MÉPHISTOPHÉLÈS

Dites, à quoi sert ce crible ?

LE CHAT (*le ramasse*)

Il rend l'âme aux yeux visible :
Ne serais-tu pas un coquin ?
On pourrait t'y reconnaître.

Il court vers la femelle, et la fait regarder au travers.

> *Regarde bien par ce trou-là,*
> *Ma chère, tu pourras peut-être*
> *Nommer le coquin que voilà.*

MÉPHISTOPHÉLÈS *(s'approchant du feu)*
Qu'est-ce donc que cette coupe ?

LE CHAT ET LA CHATTE
Il ne connaît pas le pot,
Le pot à faire la soupe...
Vit-on jamais pareil sot ?

MÉPHISTOPHÉLÈS
Silence, animaux malhonnêtes !

LE CHAT

Dans ce fauteuil mets-toi soudain,
Et prends cet éventail en main,
Tu seras le roi des bêtes.

Il oblige Méphistophélès à s'asseoir.

FAUST *(qui pendant ce temps s'est toujours tenu devant le miroir, tantôt s'en approchant, tantôt s'en éloignant)*

Que vois-je ? quelle céleste image se montre dans ce miroir magique ? O amour ! prête-moi la plus rapide de tes ailes, et transporte-moi dans la région qu'elle habite. Ah ! quand je ne reste pas à cette place, quand je me hasarde à m'avancer davantage, je ne puis plus la voir que comme à travers un nuage ! — La plus belle forme de la femme ! Est-il possible qu'une femme ait tant de beauté ! Dois-je, dans ce corps étendu à ma vue, trouver l'abrégé des merveilles de tous les cieux ? Quelque chose de pareil existe-t-il sur la terre ?

MÉPHISTOPHÉLÈS

Naturellement, quand un Dieu se met à l'œuvre pendant six jours, et se dit enfin bravo à lui-même, il en doit résulter quelque chose de passable. Pour cette fois, regarde à satiété, je saurai bien te déterrer un semblable trésor : et heureux celui qui a la bonne fortune de l'emmener chez soi comme épouse ! *(Faust regarde toujours dans le miroir ; Méphistophélès, s'étendant dans le fauteuil, et jouant avec l'éventail, continue de parler.)* Me voilà assis comme un roi sur son trône : je tiens le sceptre, il ne me manque plus que la couronne.

LES ANIMAUX *(qui jusque-là avaient exécuté mille mouve-*
ments bizarres, apportent, avec de grands cris, une couronne
à Méphistophélès)

> Daigne la prendre, mon maître,
> En voici tous les éclats,
> Avec du sang tu pourras
> La raccommoder peut-être.

Ils courent gauchement vers la couronne et la brisent en
deux morceaux avec lesquels ils dansent en rond.

> Fort bien : recommençons...
> Nous parlons, nous voyons ;
> Nous écoutons et rimons.

FAUST *(devant le miroir)*

Malheur à moi ! j'en suis tout bouleversé !

MÉPHISTOPHÉLÈS *(montrant les animaux)*

La tête commence à me tourner à moi-même.

LES ANIMAUX

> Si cela nous réussit,
> Ma foi, gloire à notre esprit !

FAUST *(comme plus haut)*

Mon sein commence à s'enflammer ! Eloignons-nous
bien vite.

MÉPHISTOPHÉLÈS *(dans la même position)*

On doit au moins convenir que ce sont de francs poètes.
(La marmite, que la guenon a laissée un instant sans
l'écumer, commence à déborder ; il s'élève une grande
flamme qui monte violemment dans la cheminée. La sorcière
descend à travers la flamme en poussant des cris épou-
vantables.)

LA SORCIÈRE

> Au ! au ! au ! au !
> Chien de pourceau !
> Tu répands la soupe,
> Et tu rôtis ma peau !
> A bas ! maudite troupe !

Apercevant Méphistophélès et Faust.

Que vois-je ici ?
Qui peut entrer ainsi
Dans mon laboratoire ?
A moi, mon vieux grimoire !
A vous le feu !
Vos os vont voir beau jeu !

Elle plonge l'écumoire dans la marmite, et lance les flammes
après Faust, Méphistophélès et les animaux. Les animaux
hurlent.

MÉPHISTOPHÉLÈS *(lève l'éventail qu'il tient à la main, et*
frappe à droite et à gauche sur les verres et les pots)

En deux ! en deux !
Ustensiles de sorcières,
Vieux flacons, vieux pots, vieux verres !
En deux ! en deux !
Toi, tu m'as l'air bien hardie ;
Attends, un bâton
Va régler le ton
De ta mélodie.

Pendant que la sorcière recule, pleine de colère et d'effroi.

Me reconnais-tu, squelette, épouvantail ? Reconnais-tu
ton seigneur et maître ? Qui me retient de frapper et de
te mettre en pièces, toi et tes esprits chats ? N'as-tu plus
de respect pour le pourpoint rouge ? Méconnais-tu la
plume de coq ? ai-je caché ce visage ? Il faudra donc que
je me nomme moi-même ?

LA SORCIÈRE

O seigneur ! pardonnez-moi cet accueil un peu rude !
Je ne vois cependant pas le pied cornu... Qu'avez-vous
donc fait de vos deux corbeaux ?

MÉPHISTOPHÉLÈS

Tu t'en tireras pour cette fois, car il y a bien du temps
que nous ne nous sommes vus. La civilisation, qui polit
le monde entier, s'est étendue jusqu'au diable; on ne voit
plus maintenant de fantômes du nord, plus de cornes,
de queue et de griffes! Et pour ce qui concerne le pied,
dont je ne puis me défaire, il me nuirait dans le monde;
aussi, comme beaucoup de jeunes gens, j'ai depuis longtemps adopté la mode des faux mollets.

LA SORCIÈRE *(dansant)*

J'en perds l'esprit, je croi,
Monsieur Satan chez moi !

MÉPHISTOPHÉLÈS

Point de nom pareil, femme, je t'en prie !

LA SORCIÈRE

Pourquoi ? que vous a-t-il fait ?

MÉPHISTOPHÉLÈS

Depuis bien des années il est inscrit au livre des fables ;
mais les hommes n'en sont pas pour cela devenus meilleurs : ils sont délivrés du malin, mais les malins sont
restés. Que tu m'appelles monsieur le baron, à la bonne
heure ! Je suis vraiment un cavalier comme bien d'autres :
tu ne peux douter de ma noblesse ; tiens, voilà l'écusson
que je porte ! *(Il fait un geste indécent.)*

LA SORCIÈRE *(rit immodérément)*

Ha ! ha ! ce sont bien là de vos manières ! vous êtes un
coquin comme vous fûtes toujours !

MÉPHISTOPHÉLÈS *(à Faust)*

Mon ami, voilà de quoi t'instruire ! C'est ainsi qu'on se
conduit avec les sorcières.

LA SORCIÈRE

Dites maintenant, messieurs, ce que vous désirez.

MÉPHISTOPHÉLÈS

Un bon verre de la liqueur que tu sais, mais de la plus
vieille, je te prie, car les années doublent sa force.

LA SORCIÈRE

Bien volontiers ! j'en ai un flacon dont quelquefois je
goûte moi-même : elle n'a plus la moindre puanteur, je
vous en donnerai un petit verre. *(Bas, à Méphistophélès.)*
Mais si cet homme en boit sans être préparé, il n'a pas,
comme vous le savez, une heure à vivre.

MÉPHISTOPHÉLÈS

C'est un bon ami, elle ne peut que lui faire du bien ; je
lui donnerais sans crainte la meilleure de toute ta cuisine.
Trace ton cercle, dis tes paroles, et donne-lui une tasse

pleine. *(La sorcière, avec des gestes singuliers, trace un cercle où elle place mille choses bizarres. Cependant, les verres commencent à résonner, la marmite à tonner, comme faisant de la musique. Enfin, elle apporte un gros livre, et place les chats dans le cercle, où ils lui servent de pupitre et tiennent les flambeaux. Elle fait signe à Faust de marcher à elle.)*

FAUST *(à Méphistophélès)*

Non! dis-moi ce que tout cela va devenir. Cette folle engeance, ces gestes extravagants, cette ignoble sorcellerie, me sont assez connus et me dégoûtent assez.

MÉPHISTOPHÉLÈS

Chansons! ce n'est que pour rire, ne fais donc pas tant l'homme grave! Elle doit, comme médecin, faire un hocuspocus, afin que la liqueur te soit profitable. *(Il contraint Faust d'entrer dans le cercle.)*

LA SORCIÈRE *(avec beaucoup d'emphase, prend le livre pour déclamer)*

Ami, crois à mon système :
Avec un, dix tu feras ;
Avec deux et trois de même,
Ainsi tu t'enrichiras.
    Passe le quatrième,
    Le cinquième et sixième,
    La sorcière l'a dit :
    Le septième et huitième
    Réussiront de même...

    C'est là que finit
    L'œuvre de la sorcière :
        Si neuf est un,
        Dix n'est aucun.
Voilà tout le mystère !

FAUST

Il me semble que la vieille parle dans la fièvre.

MÉPHISTOPHÉLÈS

Il n'y en a pas long maintenant : je connais bien tout cela, son livre est plein de ces fadaises. J'y ai perdu bien du temps, car une parfaite contradiction est aussi mystérieuse pour les sages que pour les fous. Mon ami, l'art est vieux et nouveau. Ce fut l'usage de tous les temps de propager l'erreur en place de la vérité par trois et un, un et trois : sans cesse on babille sur ce sujet, on apprend cela comme bien d'autres choses ; mais qui va se tourmenter à comprendre de telles folies ? L'homme croit d'ordinaire, quand il entend des mots, qu'ils doivent absolument contenir une pensée.

LA SORCIÈRE *(continue)*

La science la plus profonde
N'est donnée à personne au monde ;
Par travail, argent, peine ou soins :
La connaissance universelle
En un instant se révèle
A ceux qui la cherchaient le moins.

FAUST

Quel contre-sens elle nous dit ! Tout cela va me rompre la tête, il me semble entendre un chœur de cent mille fous.

MÉPHISTOPHÉLÈS

Assez ! assez ! très excellente sibylle ! donne ici ta potion, et que la coupe soit pleine jusqu'au bord : le breuvage ne peut nuire à mon ami ; c'est un homme qui a passé par plusieurs grades, et qui en a fait des siennes.

La sorcière, avec beaucoup de cérémonie, verse la boisson dans le verre ; au moment qu'il la porte à sa bouche, il s'élève une légère flamme.

MÉPHISTOPHÉLÈS

Vivement ! encore un peu ! cela va bien te réjouir le cœur. Comment ! tu es avec le diable à *tu* et à *toi*, et la flamme t'épouvante ! *(La sorcière efface le cercle. Faust en sort.)*

MÉPHISTOPHÉLÈS

En avant ! il ne faut pas que tu te reposes.

LA SORCIÈRE

Puisse ce petit coup vous faire du bien !

MÉPHISTOPHÉLÈS *(à la sorcière)*

Et si je puis quelque chose pour toi, fais-le-moi savoir au sabbat.

LA SORCIÈRE

Voici une chanson ! chantez-la quelquefois, vous en éprouverez des effets singuliers.

MÉPHISTOPHÉLÈS *(à Faust)*

Viens vite, et laisse-toi conduire; il est nécessaire que tu transpires, afin que la vertu de la liqueur agisse dedans et dehors. Je te ferai ensuite apprécier les charmes d'une noble oisiveté, et tu reconnaîtras bientôt, à des transports secrets, l'influence de Cupidon, qui voltige çà et là autour du monde dans les espaces d'azur.

FAUST

Laisse-moi jeter encore un regard rapide sur ce miroir, cette image de femme était si belle!

MÉPHISTOPHÉLÈS

Non! non! tu vas voir devant toi, tout à l'heure, le modèle des femmes en personne vivante. *(A part.)*
Avec cette boisson dans le corps, tu verras, dans chaque femme, une Hélène.

UNE RUE

FAUST, MARGUERITE *(passant)*

FAUST

Ma jolie demoiselle, oserai-je hasarder de vous offrir mon bras et ma conduite?

MARGUERITE

Je ne suis ni demoiselle ni jolie, et je puis aller à la maison sans la conduite de personne. *(Elle se débarrasse et s'enfuit.)*

FAUST

Par le ciel! c'est une belle enfant : je n'ai encore rien vu de semblable; elle semble si honnête et si vertueuse, et a pourtant en même temps quelque chose de si piquant! De mes jours je n'oublierai la rougeur de ses lèvres, l'éclat de ses joues! comme elle baissait les yeux! Ah! elle s'est profondément gravée dans mon cœur : comme elle s'est vite dégagée!... il y a de quoi me ravir!

MÉPHISTOPHÉLÈS *(s'avance)*

FAUST

Ecoute, il faut me faire avoir la jeune fille.

MÉPHISTOPHÉLÈS

Eh! laquelle?

FAUST

Celle qui passait ici tout à l'heure.

MÉPHISTOPHÉLÈS

Celle-là! Elle sort de chez son confesseur, qui l'a absoute de tous ses péchés : je m'étais glissé tout contre sa place. C'est bien innocent; elle va à confesse pour un rien; je n'ai aucune prise sur elle.

FAUST

Elle a pourtant plus de quatorze ans.

MÉPHISTOPHÉLÈS

Vous parlez bien comme Jean-le-Chanteur, qui convoite toutes les plus belles fleurs, et s'imagine acquérir honneur et faveur sans avoir à les mériter. Mais il n'en est pas toujours ainsi.

FAUST

Monsieur le magister, laissez-moi en paix; et je vous le dis bref et bien : si la douce jeune fille ne repose pas ce soir dans mes bras, à minuit nous nous séparons.

MÉPHISTOPHÉLÈS

Songez à quelque chose de faisable, il me faudrait quinze jours au moins, seulement pour guetter l'occasion.

FAUST

Sept heures devant moi, et l'aide du diable me serait inutile pour séduire une petite créature semblable ?

MÉPHISTOPHÉLÈS

Vous parlez déjà presque comme un Français; cependant, je vous prie, ne vous chagrinez pas. A quoi sert-il d'être si pressé de jouir ? Le plaisir est beaucoup moins vif que si d'avance, et par toute sorte de brimborions, vous vous pétrissiez et pariez vous-même votre petite poupée, comme on le voit dans maints contes gaulois.

FAUST

J'ai aussi de l'appétit sans cela.

MÉPHISTOPHÉLÈS

Maintenant, sans invectives ni railleries, je vous dis une fois pour toutes qu'on ne peut aller si vite avec cette belle enfant. Il ne faut là employer nulle violence, et nous devons nous accommoder de la ruse.

FAUST

Va me chercher quelque chose de cet ange; conduis-moi au lieu où elle repose ! apporte-moi un fichu qui ait couvert son sein, un ruban de ma bien-aimée.

MÉPHISTOPHÉLÈS

Vous verrez par là que je veux sincèrement plaindre
et adoucir votre peine : ne perdons pas un moment ; dès
aujourd'hui, je vous conduis dans sa chambre.

FAUST

Et je pourrai la voir, la posséder ?

MÉPHISTOPHÉLÈS

Non, elle sera chez une voisine. Cependant, vous
pourrez, en l'attente du bonheur futur, vous enivrer à
loisir de l'air qu'elle aura respiré.

FAUST

Partons-nous ?

MÉPHISTOPHÉLÈS

Il est encore trop tôt.

FAUST

Procure-moi donc un présent pour elle. *(Il sort.)*

MÉPHISTOPHÉLÈS

Déjà des présents ; c'est bien ! Voilà le moyen de réussir !
Je connais mainte belle place et maint vieux trésor bien
enterré ; je veux les passer un peu en revue. *(Il sort.)*

LE SOIR
Une petite chambre bien rangée.

MARGUERITE *(tressant ses nattes et les attachant)*

Je donnerais bien quelque chose pour savoir quel est
le seigneur de ce matin : il a, certes, le regard noble et
sort de bonne maison, comme on peut le lire sur son front...
Il n'eût pas sans cela été si hardi. *(Elle sort.)*

MÉPHISTOPHÉLÈS

Entrez tout doucement, entrez donc !

FAUST *(après quelques instants de silence)*

Je t'en prie, laisse-moi seul.

MÉPHISTOPHÉLÈS *(parcourant la chambre)*

Toutes les jeunes filles n'ont pas autant d'ordre et de propreté. *(Il sort.)*

FAUST *(regardant à l'entour)*

Sois bienvenu, doux crépuscule, qui éclaires ce sanctuaire. Saisis mon cœur, douce peine d'amour, qui vis dans ta faiblesse de la rosée de l'espérance! Comme tout ici respire le sentiment du silence, de l'ordre, du contentement! Dans cette misère, que de plénitude! Dans ce cachot, que de félicité! *(Il se jette sur le fauteuil de cuir, près du lit.)* Oh! reçois-moi, toi qui as déjà reçu dans tes bras ouverts des générations en joie et en douleur! Ah! que de fois une troupe d'enfants s'est suspendue autour de ce trône paternel! Peut-être, en souvenir du Christ, ma bien-aimée, entourée d'une jeune famille, a baisé ici la main flétrie de son aïeul. Je sens, ô jeune fille! ton esprit d'ordre murmurer autour de moi, cet esprit qui règle tes jours comme une tendre mère, qui t'instruit à étendre proprement le tapis sur la table, et te fait remarquer même les grains de poussière qui crient sous tes pieds. O main si chère! si divine! La cabane devient par toi riche comme le ciel. Et là... *(Il relève un rideau de lit.)* Quelles délices cruelles s'emparent de moi! Je pourrais ici couler des heures entières. Nature! ici, tu faisais rêver doucement cet ange incarné. Ici reposait cette enfant, dont le sang palpitait d'une vie nouvelle; et ici, avec un saint et pur frémissement, se formait cette image de Dieu.

Et toi, qui t'y a conduit? De quels sentiments te trouves-tu agité? Que veux-tu ici? Pourquoi ton cœur se serre-t-il?... Malheureux Faust, je ne te reconnais plus!

Est-ce une faveur enchantée qui m'entoure en ces lieux? Je me sens avide de plaisir, et je me laisse aller aux songes de l'amour; serions-nous le jouet de chaque souffle de l'air?

Si elle rentrait en ce moment!... comme le cœur te battrait de ta faute : comme le grand homme serait petit! comme il tomberait confondu à ses pieds!

MÉPHISTOPHÉLÈS

Vite, je la revois revenir.

FAUST

Allons, allons, je n'y reviens plus.

MÉPHISTOPHÉLÈS

Voici une petite cassette assez lourde que j'ai prise quelque part, placez-la toujours dans l'armoire, et je vous jure que l'esprit va lui en tourner. Je vous donne là une petite chose, afin de vous en acquérir une autre : il est vrai qu'un enfant est un enfant, et qu'un jeu est un jeu.

FAUST

Je ne sais si je dois...

MÉPHISTOPHÉLÈS

Pouvez-vous le demander ? Vous pensez peut-être à garder le trésor : en ce cas, je conseille à votre avarice de m'épargner le temps, qui est si cher, et une peine plus longue. Je n'espère point de vous voir jamais plus sensé; j'ai beau, pour cela, me gratter la tête, me frotter les mains... *(Il met la cassette dans l'armoire et en referme la serrure.)* Allons, venez vite! vous voulez amener à vos vœux et à vos désirs l'aimable jeune fille, et vous voilà planté comme si vous alliez entrer dans un auditoire, et comme si la physique et la métaphysique étaient là devant vous en personnes vivantes. Venez donc. *(Ils sortent.)*

MARGUERITE *(avec une lampe)*

Que l'air ici est épais et étouffant! *(Elle ouvre la fenêtre.)* Il ne fait cependant pas si chaud dehors. Quant à moi, je suis toute je ne sais comment. — Je souhaiterais que ma mère ne revînt pas à la maison. Un frisson me court par tout le corps... Ah! je m'effraye follement. *(Elle se met à chanter en se déshabillant.)*

> Autrefois un roi de Thulé
> Qui jusqu'au tombeau fut fidèle,
> Reçut, à la mort de sa belle,
> Une coupe d'or ciselé.
>
> Comme elle ne le quittait guère,
> Dans les festins les plus joyeux,
> Toujours une larme légère
> A sa vue humectait ses yeux.
>
> Ce prince, à la fin de sa vie,
> Lègue tout, ses villes, son or,
> Excepté la coupe chérie,
> Qu'à la main il conserve encor.

Il fait à sa table royale
Asseoir ses barons et ses pairs,
Au milieu de l'antique salle
D'un château que baignaient les mers.

Alors, le vieux buveur s'avance
Auprès d'un vieux balcon doré ;
Il boit lentement, et puis lance
Dans les flots le vase sacré.

Le vase tourne, l'eau bouillonne,
Les flots repassent par-dessus ;
Le vieillard pâlit et frissonne...
Désormais il ne boira plus.

Elle ouvre l'armoire pour serrer ses habits, et voit l'écrin.

Comment cette belle cassette est-elle venue ici dedans ?
j'avais pourtant sûrement fermé l'armoire. Cela
m'étonne : que peut-il s'y trouver ? Peut-être quelqu'un
l'a-t-il apportée comme un gage, sur lequel ma mère aura
prêté. Une petite clef y pend à un ruban. Je puis donc
l'ouvrir sans indiscrétion. Qu'est cela ? Dieu du ciel !
je n'ai de mes jours rien vu de semblable. Une parure !...
dont une grande dame pourrait se faire honneur aux jours
de fête ! Comme cette chaîne m'irait bien ! à qui peut
appartenir tant de richesse ? *(Elle s'en pare, et va devant
le miroir.)* Si seulement ces boucles d'oreilles étaient à
moi ! cela vous donne un tout autre air. Jeunes filles, à
quoi sert la beauté ? C'est bel et bon ; mais on laisse tout
cela : si l'on vous loue, c'est presque par pitié. Tout se
presse après l'or ; de l'or tout dépend. Ah ! pauvres que
nous sommes !

UNE PROMENADE

FAUST *(dans ses pensées et se promenant)*

MÉPHISTOPHÉLÈS *(s'approchant)*

Partout amour dédaigné ! par les éléments de l'enfer !...
je voudrais savoir quelque chose de plus odieux, que je
puisse maudire.

FAUST

Qu'as-tu qui t'intrigue si fort? je n'ai vu de ma vie une figure pareille.

MÉPHISTOPHÉLÈS

Je me donnerais volontiers au diable, si je ne l'étais moi-même.

FAUST

Quelque chose s'est-il dérangé dans ta tête? ou cela t'amuse-t-il de tempêter comme un enragé?

MÉPHISTOPHÉLÈS

Songez donc qu'un prêtre a raflé la parure offerte à Marguerite. — Sa mère prend la chose pour la voir, et cela commence à lui causer un dégoût secret! La dame a l'odorat fin, elle renifle sans cesse dans les livres de prières, et flaire chaque meuble l'un après l'autre, pour voir s'il est saint ou profane; ayant, à la vue des bijoux, clairement jugé que ce n'était pas là une grande bénédiction : « Mon enfant, s'écria-t-elle, bien injustement acquis asservit l'âme et brûle le sang : consacrons-le tout à la mère de Dieu, et elle nous réjouira par la manne du ciel! » La petite Marguerite fit une moue assez gauche : cheval donné, pensa-t-elle, est toujours bon : et vraiment celui qui a si adroitement apporté ceci ne peut être un impie. La mère fit venir un prêtre : celui-ci eut à peine entendu un mot de cette bagatelle, que son attention se porta là tout entière, et il lui dit : « Que cela est bien pensé! celui qui se surmonte ne peut que gagner. L'Eglise a un bon estomac, elle a dévoré des pays entiers sans jamais cependant avoir d'indigestion. L'Eglise seule, mes chères dames, peut digérer un bien mal acquis. »

FAUST

C'est son usage le plus commun; juifs et rois le peuvent aussi.

MÉPHISTOPHÉLÈS

Il saisit là-dessus colliers, chaînes et boucles, comme si ce ne fût qu'une bagatelle, ne remercia ni plus ni moins que pour un panier de noix, leur promit les dons du ciel... et elles furent très édifiées.

FAUST

Et Marguerite?

MÉPHISTOPHÉLÈS

Elle est assise, inquiète, ne sait ce qu'elle veut, ni ce qu'elle doit; pense à l'écrin jour et nuit, mais plus encore à celui qui l'a apporté.

FAUST

Le chagrin de ma bien-aimée me fait souffrir : va vite me chercher un autre écrin : le premier n'avait pas déjà tant de valeur.

MÉPHISTOPHÉLÈS

Oh! oui, pour monsieur tout est enfantillage!

FAUST

Fais et établis cela d'après mon idée : attache-toi à la voisine, sois un diable et non un enfant, et apporte-moi un nouveau présent.

MÉPHISTOPHÉLÈS

Oui, gracieux maître, de tout mon cœur.

MÉPHISTOPHÉLÈS *(seul)*

Un pareil fou, amoureux, serait capable de vous tirer en l'air le soleil, la lune et les étoiles, comme un feu d'artifice, pour le divertissement de sa belle. *(Il sort.)*

LA MAISON DE LA VOISINE

MARTHE *(seule)*

Que Dieu pardonne à mon cher mari, il n'a rien fait de bon pour moi; il s'en est allé au loin par le monde, et m'a laissée seule sur le fumier. Je ne l'ai cependant guère tourmenté, et je n'ai fait, Dieu le sait, que l'aimer de tout mon cœur. *(Elle pleure.)* Peut-être est-il déjà mort! — O douleur! — Si j'avais seulement son extrait mortuaire!

MARGUERITE *(entre)*

Madame Marthe!

MARTHE

Que veux-tu, petite Marguerite?

MARGUERITE

Mes genoux sont prêts à se dérober sous moi : j'ai retrouvé dans mon armoire un nouveau coffre, du même bois, et contenant des choses bien plus riches sous tous les rapports que le premier.

MARTHE

Il ne faut pas le dire à ta mère : elle irait encore le porter à son confesseur.

MARGUERITE

Mais voyez donc, admirez donc !

MARTHE *(la parant)*

Heureuse créature !

MARGUERITE

Pauvre comme je suis, je n'oserais pas me montrer ainsi dans les rues, ni à l'église.

MARTHE

Viens souvent me trouver, et tu essaieras ici en secret ces parures, tu pourras te promener une heure devant le miroir : nous y trouverons toujours du plaisir; et s'il vient ensuite une occasion, une fête, on fera voir aux gens tout cela l'un après l'autre. D'abord une petite chaîne, ensuite une perle à l'oreille. Ta mère ne se doutera de rien, et on lui fera quelque histoire.

MARGUERITE

Qui a donc pu apporter ici ces deux petites cassettes? Cela n'est pas naturel. *(On frappe.)*

MARTHE *(regardant par le rideau).*

C'est un monsieur étranger. — Entrez !

MÉPHISTOPHÉLÈS *(entre)*

Je suis bien hardi d'entrer si brusquement, et j'en demande pardon à ces dames. *(Il s'incline devant Marguerite.)* Je désirerais parler à madame Marthe Swerdlein.

MARTHE

C'est moi; que me veut monsieur ?

MÉPHISTOPHÉLÈS *(bas)*

Je vous connais maintenant; c'est assez pour moi; vous avez là une visite d'importance : pardonnez-moi la liberté que j'ai prise, je reviendrai cette après-midi.

MARTHE *(gaiement)*

Vois, mon enfant, ce que c'est que le monde, monsieur te prend pour une demoiselle.

MARGUERITE

Je ne suis qu'une pauvre fille : ah! Dieu! monsieur est bien bon, la parure et les bijoux ne sont point à moi.

MÉPHISTOPHÉLÈS

Ah! ce n'est pas seulement la parure; vous avez un air, un regard si fin... je me réjouis de pouvoir rester.

MARTHE

Qu'annonce-t-il donc? Je désirerais bien...

MÉPHISTOPHÉLÈS

Je voudrais apporter une nouvelle plus gaie, mais j'espère que vous ne m'en ferez pas porter la peine; votre mari est mort, et vous fait saluer.

MARTHE

Il est mort! le pauvre cœur! O ciel! mon mari est mort! Ah! je m'évanouis!

MARGUERITE

Ah! chère dame, ne vous désespérez pas.

MÉPHISTOPHÉLÈS

Ecoutez-en la tragique aventure.

MARTHE

Oui, racontez-moi la fin de sa carrière.

MÉPHISTOPHÉLÈS

Il gît à Padoue, enterré près de saint Antoine, en terre sainte, pour y reposer éternellement.

MARTHE

Vouz n'avez donc rien à m'en apporter?

MÉPHISTOPHÉLÈS

Si fait, une prière grave et nécessaire; c'est de faire dire pour lui trois cents messes : du reste, mes poches sont vides.

MARTHE

Quoi! pas une médaille? pas un bijou? Ce que tout ouvrier misérable garde précieusement au fond de son sac, et réserve comme un souvenir, dût-il mourir de faim, dût-il mendier?

MÉPHISTOPHÉLÈS

Madame, cela m'est on ne peut plus pénible; mais il n'a vraiment pas gaspillé son argent; aussi il s'est bien repenti de ses fautes, oui, et a déploré bien plus encore son infortune.

MARGUERITE

Ah! faut-il que les hommes soient si malheureux! Certes, je veux lui faire dire quelques *requiem*.

MÉPHISTOPHÉLÈS

Vous seriez digne d'entrer vite dans le mariage, vous êtes une aimable enfant.

MARGUERITE

Oh non! cela ne me convient pas encore!

MÉPHISTOPHÉLÈS

Sinon un mari, un galant en attendant; ce serait le plus grand bienfait du ciel que d'avoir dans ses bras un objet si aimable.

MARGUERITE

Ce n'est point l'usage du pays.

MÉPHISTOPHÉLÈS

Usage ou non, cela se fait de même.

MARTHE

Poursuivez donc votre récit.

MÉPHISTOPHÉLÈS

Je m'assis près de son lit de mort : c'était un peu mieux que du fumier, de la paille à demi pourrie; mais il mourut comme un chrétien, et trouva qu'il en avait encore par-dessus son mérite. « Comme je dois, s'écria-t-il, me détester cordialement d'avoir pu délaisser ainsi mon état, ma femme! Ah! ce souvenir me tue. Pourra-t-elle jamais me pardonner en cette vie?... »

MARTHE *(pleurant)*

L'excellent mari! je lui ai depuis longtemps pardonné!

MÉPHISTOPHÉLÈS

« Mais, Dieu le sait, elle en fut plus coupable que moi! »

MARTHE

Il ment en cela! Quoi! mentir au bord de la tombe!

MÉPHISTOPHÉLÈS

Il en contait sûrement à son agonie, si je puis m'y connaître. « Je n'avais, dit-il, pas le temps de bâiller; il fallait lui faire d'abord des enfants, et ensuite lui gagner du pain... Quand je dis du pain, c'est dans le sens le plus exact, et je n'en pouvais manger ma part en paix. »

MARTHE

A-t-il donc oublié tant de foi, tant d'amour?... toute ma peine le jour et la nuit?...

MÉPHISTOPHÉLÈS

Non pas, il y a sincèrement pensé. Et il a dit : « Quand je partis de Malte, je priai avec ardeur pour ma femme et mes enfants; aussi le ciel me fut-il propice, car notre vaisseau prit un bâtiment de transport turc, qui portait un trésor du grand sultan; il devint la récompense de notre courage, et j'en reçus, comme de juste, ma part bien mesurée. »

MARTHE

Eh comment? où donc? Il l'a peut-être enterrée.

MÉPHISTOPHÉLÈS

Qui sait où maintenant les quatre vents l'ont emportée? Une jolie demoiselle s'attacha à lui, lorsqu'en étranger il se promenait autour de Naples; elle se conduisit envers lui avec beaucoup d'amour et de fidélité, tant qu'il s'en ressentit jusqu'à sa bienheureuse fin.

MARTHE

Le vaurien! le voleur à ses enfants! Faut-il que ni misère ni besoin n'aient pu empêcher une vie aussi scandaleuse!

MÉPHISTOPHÉLÈS

Oui, voyez! il en est mort aussi. Si j'étais à présent à votre place, je pleurerais sur lui pendant l'année d'usage, et cependant je rendrais visite à quelque nouveau trésor.

MARTHE

Ah Dieu! comme était mon premier, je n'en trouverais pas facilement un autre dans le monde. A peine pourrait-il exister un fou plus charmant. Il aimait seulement un peu trop les voyages, les femmes étrangères, le vin étranger, et tous ces maudits jeux de dés.

MÉPHISTOPHÉLÈS

Bien, bien, cela pouvait encore se supporter, si par hasard, de son côté, il vous en passait autant; je vous assure que, moyennant cette clause, je ferais volontiers avec vous l'échange de l'anneau.

MARTHE

Oh! monsieur aime à badiner.

MÉPHISTOPHÉLÈS *(à part)*

Sortons vite, elle prendrait bien au mot le diable lui-même. *(A Marguerite.)* Comment va le cœur?

MARGUERITE

Que veut dire par là monsieur?

MÉPHISTOPHÉLÈS *(à part)*

La bonne, l'innocente enfant! *(Haut.)* Bonjour, mesdames.

MARGUERITE

Bonjour.

MARTHE

Oh! dites-moi donc vite : je voudrais bien avoir un indice certain sur le lieu où mon trésor est mort et enterré. Je fus toujours amie de l'ordre, et je voudrais voir sa mort dans les affiches.

MÉPHISTOPHÉLÈS

Oui, bonne dame, la vérité se connaît dans tous pays par deux témoignages de bouche; j'ai encore un fin compagnon que je veux faire paraître pour vous devant le juge. Je vais l'amener ici.

MARTHE

Oh ! oui, veuillez le faire.

MÉPHISTOPHÉLÈS

Et que la jeune fille soit aussi là. — C'est un brave garçon ; il a beaucoup voyagé et témoigne pour les demoiselles toute l'honnêteté possible.

MARGUERITE

Je vais être honteuse devant ce monsieur.

MÉPHISTOPHÉLÈS

Devant aucun roi de la terre.

MARTHE

Là, derrière la maison, dans mon jardin, nous attendrons tantôt ces messieurs.

UNE RUE

FAUST, MÉPHISTOPHÉLÈS

FAUST

Qu'est-ce qu'il y a ? cela s'avance-t-il ? cela finira-t-il bientôt ?

MÉPHISTOPHÉLÈS

Ah ! très bien ! je vous trouve tout animé. Dans peu de temps, Marguerite est à vous. Ce soir, vous la verrez chez Marthe, sa voisine : c'est une femme qu'on croirait choisie exprès pour le rôle d'entremetteuse et de bohémienne.

FAUST

Fort bien.

MÉPHISTOPHÉLÈS

Cependant on exigera quelque chose de nous.

FAUST

Un service en mérite un autre.

MÉPHISTOPHÉLÈS

Il faut que nous donnions un témoignage valable, à savoir que les membres de son mari reposent juridiquement à Padoue, en terre sainte.

FAUST

C'est prudent ! il nous faudra donc maintenant faire le voyage ?

MÉPHISTOPHÉLÈS

Sancta simplicitas ! Ce n'est pas cela qu'il faut faire : témoignez sans en savoir davantage.

FAUST

S'il n'y a rien de mieux, le plan manque.

MÉPHISTOPHÉLÈS

O saint homme !... le serez-vous encore longtemps ? Est-ce la première fois de votre vie que vous auriez porté faux témoignage ? N'avez-vous pas de Dieu, du monde, et de ce qui s'y passe, des hommes et de ce qui règle leur tête et leur cœur, donné des définitions avec grande assurance, effrontément et d'un cœur ferme ? et, si vous voulez bien descendre en vous-même, vous devrez bien avouer que vous en saviez autant que sur la mort de M. Swerdlein.

FAUST

Tu es et tu resteras un menteur et un sophiste.

MÉPHISTOPHÉLÈS

Oui, si l'on n'en savait pas un peu plus. Car demain n'irez-vous pas, en tout bien tout honneur, séduire cette pauvre Marguerite et lui jurer l'amour le plus sincère ?

FAUST

Et du fond de mon cœur.

MÉPHISTOPHÉLÈS

Très bien ! Ensuite ce seront des serments d'amour et de fidélité éternelle, d'un penchant unique et tout-puissant. Tout cela partira-t-il aussi du cœur ?

FAUST

Laissons cela, oui c'est ainsi. Lorsque pour mes sentiments, pour mon ardeur, je cherche des noms, et n'en

trouve point, qu'alors je me jette dans le monde de toute
mon âme, que je saisis les plus énergiques expressions,
et que ce feu dont je brûle, je l'appelle sans cesse infini,
éternel, est-ce là un mensonge diabolique?

MÉPHISTOPHÉLÈS

Cependant j'ai raison.

FAUST

Ecoute, et fais bien attention à ceci. — Je te prie
d'épargner mes poumons. — Qui veut avoir raison et
possède seulement une langue, l'a certainement. Et viens;
je suis rassasié de bavardage, car si tu as raison, c'est que
je préfère me taire.

UN JARDIN

MARGUERITE, *au bras de* FAUST; MARTHE,
MÉPHISTOPHÉLÈS *(se promenant de long en large)*

MARGUERITE

Je sens bien que monsieur me ménage; il s'abaisse
pour ne pas me faire honte. Les voyageurs ont ainsi la
coutume de prendre tout en bonne part, et de bon cœur;
je sais fort bien qu'un homme aussi expérimenté ne peut
s'entretenir avec mon pauvre langage.

FAUST

Un regard de toi, une seule parole m'en dit plus que
toute la sagesse de ce monde. *(Il lui baise la main.)*

MARGUERITE

Que faites-vous?... Comment pouvez-vous baiser ma
main? elle est si sale, si rude! Que n'ai-je point à faire
chez nous? Ma mère est si ménagère... *(Ils passent.)*

MARTHE

Et vous, monsieur, vous voyagez donc toujours ainsi?

MÉPHISTOPHÉLÈS

Ah! l'état et le devoir nous y forcent! Avec quel chagrin on quitte certains lieux! Et on n'oserait pourtant
pas prendre sur soi d'y rester.

MARTHE

Dans la force de l'âge, cela fait du bien, de courir çà
et là librement par le monde. Cependant la mauvaise
saison vient ensuite, et se traîner seul au tombeau en
célibataire, c'est ce que personne n'a fait encore avec
succès.

MÉPHISTOPHÉLÈS

Je vois avec effroi venir cela de loin.

MARTHE

C'est pourquoi, digne monsieur, il faut vous consulter
à temps. (*Ils passent.*)

MARGUERITE

Oui, tout cela sort bientôt des yeux et de l'esprit : la
politesse vous est facile, mais avez beaucoup d'amis
plus spirituels que moi.

FAUST

O ma chère! ce que l'on décore tant du nom d'esprit
n'est souvent plutôt que sottise et vanité.

MARGUERITE

Comment?

FAUST

Ah! faut-il que la simplicité, que l'innocence, ne sachent
jamais se connaître elles-mêmes et apprécier leur sainte
dignité! Que l'humilité, l'obscurité, les dons les plus
précieux de la bienfaisante nature...

MARGUERITE

Pensez un seul moment à moi, et j'aurai ensuite assez
le temps de penser à vous.

FAUST

Vous êtes donc toujours seule?

MARGUERITE

Oui, notre ménage est très petit, et cependant il faut
qu'on y veille. Nous n'avons point de servante, il faut
faire à manger, balayer, tricoter et coudre, courir, soir
et matin; ma mère est si exacte dans les plus petites
choses!... Non qu'elle soit contrainte à se gêner beaucoup, nous pourrions nous remuer encore comme bien
d'autres. Mon père nous a laissé un joli avoir, une petite

maison et un jardin à l'entrée de la ville. Cependant, je
mène en ce moment des jours assez paisibles ; mon frère
est soldat, ma petite sœur est morte : cette enfant me
donnait bien du mal ; cependant j'en prenais volontiers
la peine ; elle m'était si chère !

FAUST

Un ange, si elle te ressemblait.

MARGUERITE

Je l'élevais, et elle m'aimait sincèrement. Elle naquit
après la mort de mon père, nous pensâmes alors perdre
ma mère, tant elle était languissante ! Elle fut longtemps
à se remettre, et seulement peu à peu, de sorte qu'elle ne
put songer à nourrir elle-même la petite créature, et que
je fus seule à l'élever en lui faisant boire du lait et de
l'eau ; elle était comme ma fille. Dans mes bras, sur mon
sein, elle prit bientôt de l'amitié pour moi, se remua et
grandit.

FAUST

Tu dus sentir alors un bonheur bien pur !

MARGUERITE

Mais certes aussi bien des heures de trouble. Le
berceau de la petite était la nuit près de mon lit, elle se
remuait à peine que je m'éveillais ; tantôt il fallait la faire
boire, tantôt la placer près de moi. Tantôt, quand elle ne
se taisait pas, la mettre au lit, et aller çà et là dans la
chambre en la faisant danser. Et puis, de grand matin, il
fallait aller au lavoir, ensuite aller au marché et revenir au
foyer, et toujours ainsi, un jour comme l'autre. Avec
une telle existence, monsieur, on n'est pas toujours réjoui,
mais on en savoure mieux la nourriture et le repos.
(Ils passent.)

MARTHE

Les pauvres femmes s'en trouvent mal pourtant ; il est
difficile de corriger un célibataire.

MÉPHISTOPHÉLÈS

Qu'il se présente une femme comme vous, et c'est de
quoi me rendre meilleur que je ne suis.

MARTHE

Parlez vrai, monsieur, n'auriez-vous encore rien
trouvé ? Le cœur ne s'est-il pas attaché quelque part ?

MÉPHISTOPHÉLÈS

Le proverbe dit : *Une maison qui est à vous, et une brave femme, sont précieuses comme l'or et les perles.*

MARTHE

Je demande si vous n'avez jamais obtenu des faveurs de personne?

MÉPHISTOPHÉLÈS

On m'a partout reçu très honnêtement.

MARTHE

Je voulais dire : votre cœur n'a-t-il jamais eu d'engagement sérieux?

MÉPHISTOPHÉLÈS

Avec les femmes il ne faut jamais s'exposer à badiner.

MARTHE

Ah! vous ne me comprenez pas.

MÉPHISTOPHÉLÈS

J'en suis vraiment fâché; pourtant je comprends que... vous avez bien des bontés. *(Ils passent.)*

FAUST

Tu me reconnus donc, mon petit ange, dès que j'arrivai dans le jardin?

MARGUERITE

Ne vous en êtes-vous pas aperçu? Je baissai soudain les yeux.

FAUST

Et tu me pardonnes la liberté que je pris? ce que j'eus la témérité d'entreprendre lorsque tu sortis tantôt de l'église?

MARGUERITE

Je fus consternée, jamais cela ne m'était arrivé, personne n'a pu jamais dire du mal de moi. Ah! pensais-je, aurait-il trouvé dans ma marche quelque chose de hardi, d'inconvenant? Il a paru s'attaquer à moi comme s'il eût eu affaire à une fille de mauvaises mœurs. Je l'avouerai pourtant : je ne sais quoi commençait déjà à m'émouvoir à votre avantage; mais certainement je me voulus bien du mal de n'avoir pu vous traiter plus défavorablement encore.

FAUST

Chère amie !

MARGUERITE

Laissez-moi... *(Elle cueille une marguerite et en arrache les pétales les uns après les autres.)*

FAUST

Qu'en veux-tu faire ? un bouquet ?

MARGUERITE

Non, ce n'est qu'un jeu.

FAUST

Comment ?

MARGUERITE

Allons, vous vous moquerez de moi. *(Elle effeuille et murmure tout bas.)*

FAUST

Que murmures-tu ?

MARGUERITE *(à demi-voix)*

Il m'aime. — Il ne m'aime pas.

FAUST

Douce figure du ciel !

MARGUERITE *(continue)*

Il m'aime. — Non. — Il m'aime. — Non... *(Arrachant le dernier pétale, avec une joie douce.)* Il m'aime !

FAUST

Oui, mon enfant; que la prédiction de cette fleur soit pour toi l'oracle des dieux ! Il t'aime ! comprends-tu ce que cela signifie ? Il t'aime ! *(Il prend ses deux mains.)*

MARGUERITE

Je frissonne !

FAUST

Oh ! ne frémis pas ! que ce regard, que ce serrement de main te disent ce qui ne peut s'exprimer : s'abandonner l'un à l'autre, pour goûter un ravissement qui peut être éternel ! Eternel !... sa fin serait le désespoir !... Non ! point de fin ! point de fin ! *(Marguerite lui serre la main, se dégage et s'enfuit. Il demeure un instant dans ses pensées, puis la suit.)*

MARTHE *(approchant)*

La nuit vient.

MÉPHISTOPHÉLÈS

Oui, et il nous faut partir.

MARTHE

Je vous prierais bien de rester plus longtemps ; mais on est si méchant dans notre endroit ! C'est comme si personne n'avait rien à faire que de surveiller les allées et venues de ses voisins ; et, de telle sorte qu'on se conduise, on devient l'objet de tous les bavardages. Et notre jeune couple ?

MÉPHISTOPHÉLÈS

S'est envolé là par l'allée. Inconstants papillons !

MARTHE

Il paraît l'affectionner.

MÉPHISTOPHÉLÈS

Et elle aussi. C'est comme va le monde.

UNE PETITE CABANE DU JARDIN

(Marguerite y saute, se blottit derrière la porte, tient le bout de ses doigts sur ses lèvres et regarde par la fente)

MARGUERITE

Il vient !

FAUST *(entre)*

Ah ! friponne, tu veux m'agacer ! je te tiens ! *(Il l'embrasse.)*

MARGUERITE *(le saisissant, et lui rendant le baiser)*

O le meilleur des hommes ! je t'aime de tout mon cœur ! *(Méphistophélès frappe.)*

FAUST *(frappant du pied)*

Qui est là ?

MÉPHISTOPHÉLÈS

Un ami.

FAUST

Une bête!

MÉPHISTOPHÉLÈS

Il est bien temps de se quitter.

MARTHE *(entre)*

Oui, il est tard, monsieur.

FAUST

Oserai-je vous reconduire?

MARGUERITE

Ma mère pourrait... Adieu!

FAUST

Faut-il donc que je parte? Adieu!

MARTHE

Bonsoir.

MARGUERITE

Au prochain revoir! *(Faust et Méphistophélès sortent.)*

MARGUERITE

Mon bon Dieu! un homme comme celui-ci pense tout
et sait tout. J'ai honte devant lui, et je dis *oui* à toutes ses
paroles. Je ne suis qu'une pauvre enfant ignorante, et je
ne comprends pas ce qu'il peut trouver en moi. *(Elle sort.)*

FORÊTS ET CAVERNES

FAUST *(seul)*

Sublime Esprit, tu m'as donné, tu m'as donné tout, dès
que je t'en ai supplié. Tu n'as pas en vain tourné vers
moi ton visage de feu. Tu m'as livré pour royaume la
majestueuse nature, et la force de la sentir, d'en jouir :
non, tu ne m'as pas permis de n'avoir qu'une admiration
froide et interdite, en m'accordant de regarder dans son
sein profond, comme dans le sein d'un ami. Tu as amené
devant moi la longue chaîne des vivants, et tu m'as instruit à reconnaître mes frères dans le buisson tranquille,

dans l'air et dans les eaux. Et quand, dans la forêt, la tempête mugit et crie, en précipitant à terre les pins gigan-
tesques dont les tiges voisines se froissent avec bruit, et
dont la chute résonne comme un tonnerre de montagne
en montagne ; tu me conduis alors dans l'asile des cavernes,
tu me révèles à moi-même, et je vois se découvrir les
merveilles secrètes cachées dans mon propre sein. Puis
à mes yeux la lune pure s'élève doucement vers le ciel, et
le long des rochers je vois errer, sur les buissons humides,
les ombres argentées du temps passé, qui viennent adoucir
l'austère volupté de la méditation.

Oh ! l'homme ne possédera jamais rien de parfait, je le
sens maintenant : tu m'as donné avec ces délices, qui me
rapprochent de plus en plus des dieux, un compagnon
dont je ne puis déjà plus me priver désormais, tandis que,
froid et fier, il me rabaisse à mes propres yeux, et, d'une
seule parole, replonge dans le néant tous les présents
que tu m'as faits ; il a créé dans mon sein un feu sauvage
qui m'attire vers toutes les images de la beauté. Ainsi,
je passe avec transport du désir à la jouissance, et, dans
la jouissance, je regrette le désir.

MÉPHISTOPHÉLÈS *(entre)*

MÉPHISTOPHÉLÈS

Aurez-vous bientôt assez mené une telle vie ? Comment
pouvez-vous vous complaire dans cette langueur ? Il est
fort bon d'essayer une fois, mais pour passer vite à du
neuf.

FAUST

Je voudrais que tu eusses à faire quelque chose de mieux
que de me troubler dans mes bons jours.

MÉPHISTOPHÉLÈS

Bon ! bon ! je vous laisserais volontiers en repos ; mais
vous ne pouvez me dire cela sérieusement. Pour un
compagnon si déplaisant, si rude et si fou, il y a vraiment
peu à perdre. Tout le jour on a les mains pleines, et sur
ce qui plaît à monsieur, et sur ce qu'il y a à faire pour lui,
on ne peut vraiment lui rien tirer du nez.

FAUST

Voilà tout juste le ton ordinaire, il veut encore un
remerciement de ce qu'il m'ennuie.

MÉPHISTOPHÉLÈS

Comment donc aurais-tu, pauvre fils de la terre, passé ta vie sans moi ? Je t'ai cependant guéri pour longtemps des écarts de l'imagination ; et sans moi, tu serais déjà bien loin de ce monde. Qu'as-tu là à te nicher comme un hibou dans les cavernes et les fentes des rochers ? Quelle nourriture humes-tu dans la mousse pourrie et les pierres mouillées ! Plaisir de crapaud ! passe-temps aussi beau qu'agréable ! Le docteur te tient toujours au corps.

FAUST

Comprends-tu de quelle nouvelle force cette course dans le désert peut ranimer ma vie ? Oui, si tu pouvais le sentir, tu serais assez diable pour ne pas m'accorder un tel bonheur.

MÉPHISTOPHÉLÈS

Un plaisir surnaturel ! S'étendre la nuit sur les montagnes humides de rosée, embrasser avec extase la terre et le ciel, s'enfler d'une sorte de divinité, pénétrer avec transport par la pensée jusqu'à la moelle de la terre, repasser en son sein tous les six jours de la création, bientôt s'épandre avec délices dans le grand tout, dépouiller entièrement tout ce qu'on a d'humain, et finir cette haute contemplation... *(avec un geste)*. Je n'ose dire comment...

FAUST

Fi de toi !

MÉPHISTOPHÉLÈS

Cela ne peut vous plaire, vous avez raison de dire l'honnête *fi.* On n'ose nommer devant de chastes oreilles ce dont les cœurs chastes ne peuvent se passer ; et bref, je vous souhaite bien du plaisir à vous mentir à vous-même de temps à autre. Il ne faut cependant pas que cela dure trop longtemps, tu serais bientôt entraîné encore, et, si cela persistait, replongé dans la folie, l'angoisse et le chagrin. Mais c'est assez ! ta bien-aimée est là-bas, et pour elle tout est plein de peine et de trouble ; tu ne lui sors pas de l'esprit, et sa passion dépasse déjà sa force. Naguère ta rage d'amour se débordait comme un ruisseau qui s'enfle de neiges fondues ; tu la lui as versée dans le cœur, et maintenant ton ruisseau est à sec. Il me semble qu'au lieu de régner dans les forêts, il serait bon que le grand homme récompensât la pauvre jeune fille trompée de son amour. Le temps lui paraît d'une malheureuse longueur; elle se tient toujours à la fenêtre, et regarde les nuages passer sur la vieille muraille de la ville. *Si j'étais petit oiseau!* voilà ce qu'elle chante tout le jour et la moitié de la nuit. Une fois, elle est gaie, plus souvent triste; une autre fois, elle pleure beaucoup, puis semble devenir plus tranquille, et toujours aime.

FAUST

Serpent! serpent!

MÉPHISTOPHÉLÈS (à part)

N'est-ce pas?... Que je t'enlace!

FAUST

Infâme! lève-toi de là, et ne nomme plus cette charmante femme! N'offre plus le désir de sa douce possession à mon esprit à demi vaincu.

MÉPHISTOPHÉLÈS

Qu'importe! elle te croit envolé, et tu l'es déjà à moitié.

FAUST

Je suis près d'elle; mais, en fussé-je bien loin encore, jamais je ne l'oublierais, jamais je ne la perdrais; oui, j'envie le corps du Seigneur, pendant que ses lèvres le touchent.

MÉPHISTOPHÉLÈS

Fort bien, mon ami; je vous ai souvent envié, moi, ces deux jumeaux qui paissent entre des roses.

FAUST

Fuis, entremetteur!

MÉPHISTOPHÉLÈS

Bon! vous m'invectivez, et j'en dois rire. Le Dieu qui créa le garçon et la fille reconnut de suite cette profession comme la plus noble, et en fit lui-même l'office. Allons! beau sujet de chagrin! vous allez dans la chambre de votre bien-aimée, et non pas à la mort, peut-être!

FAUST

Qu'est-ce que les joies du ciel entre ses bras? Qu'elle me laisse me réchauffer contre son sein!... En sentirai-je moins sa misère ? Ne suis-je pas le fugitif... l'exilé ? le monstre sans but et sans repos... qui, comme un torrent mugissant de rochers en rochers, aspire avec fureur à l'abîme ?... Mais elle, innocente, simple, une petite cabane, un petit champ des Alpes ; et elle aurait passé toute sa vie dans ce monde borné, au milieu d'occupations domestiques. Tandis que, moi, haï de Dieu, je n'ai point fait assez de saisir ses appuis pour les mettre en ruines, il faut que j'anéantisse toute la paix de son âme ! Enfer ! il te fallait cette victime ! Hâte-toi, démon, abrège-moi le temps de l'angoisse ! que ce qui doit arriver arrive à l'instant ! Fais écrouler sur moi sa destinée, et qu'elle tombe avec moi dans l'abîme.

MÉPHISTOPHÉLÈS

Comme cela bouillonne ! comme cela brûle !... Viens et console-la, pauvre fou ! Où une faible tête ne voit pas d'issue, elle se figure voir la fin. Vive celui qui garde toujours son courage ! Tu es déjà assez raisonnablement endiablé ! et je ne trouve rien de plus ridicule au monde qu'un diable qui se désespère.

CHAMBRE DE MARGUERITE

MARGUERITE *(seule à son rouet)*

Le repos m'a fuie !... hélas ! la paix de mon cœur malade, je ne la trouve plus, et plus jamais !

Partout où je ne le vois pas, c'est la tombe ! Le monde entier se voile de deuil !

Ma pauvre tête se brise, mon pauvre esprit s'anéantit !

Le repos m'a fuie !... hélas ! la paix de mon cœur malade, je ne la trouve plus, et plus jamais !

Je suis tout le jour à la fenêtre, ou devant la maison, pour l'apercevoir de plus loin, ou pour voler à sa rencontre !

Sa démarche fière, son port majestueux, le sourire de sa bouche, le pouvoir de ses yeux,

Et le charme de sa parole, et le serrement de sa main ! et puis, ah ! son baiser !

Le repos m'a fuie !... hélas ! la paix de mon cœur malade, je ne la trouve plus, et plus jamais !

Mon cœur se serre à son approche ! ah ! que ne puis-je le saisir et le retenir pour toujours !

Et l'embrasser à mon envie ! et finir mes jours sous ses baisers !

JARDIN DE MARTHE

MARGUERITE, FAUST

MARGUERITE

Promets-moi, Henri !...

FAUST

Tout ce que je puis.

MARGUERITE

Dis-moi donc, quelle religion as-tu ? Tu es un homme d'un cœur excellent, mais je crois que tu n'as guère de piété.

FAUST

Laissons cela, mon enfant; tu sais si je t'aime; pour mon amour, je vendrais mon corps et mon sang; mais je ne veux enlever personne à sa foi et à son église.

MARGUERITE

Ce n'est pas assez; il faut encore y croire.

FAUST

Le faut-il ?

MARGUERITE

Oh ! si je pouvais quelque chose sur toi !... Tu n'honores pas non plus les saints sacrements.

FAUST

Je les honore.

MARGUERITE

Sans les désirer cependant. Il y a longtemps que tu n'es allé à la messe, à confesse; crois-tu en Dieu ?

FAUST

Ma bien-aimée, qui oserait dire : *Je crois en Dieu?* Demande-le aux prêtres ou aux sages, et leur réponse semblera être une raillerie de la demande.

MARGUERITE

Tu n'y crois donc pas?

FAUST

Sache mieux me comprendre, aimable créature; qui
oserait le nommer et faire cet acte de foi : *Je crois en lui?*
Qui oserait sentir et s'exposer à dire : *Je ne crois pas en
lui?* Celui qui contient tout, qui soutient tout, ne contient-
il pas, ne soutient-il pas toi, moi et lui-même? Le ciel ne
se voûte-t-il pas là-haut? La terre ne s'étend-elle pas
ici-bas, et les astres éternels ne s'élèvent-ils pas en
nous regardant amicalement? Mon œil ne voit-il pas
tes yeux? Tout n'entraîne-t-il pas vers toi et ma tête et
mon cœur? Et ce qui m'y attire, n'est-ce pas un mystère
éternel, visible ou invisible?... Si grand qu'il soit, remplis-
en ton âme; et si par ce sentiment tu es heureuse, nomme-
le comme tu voudras, bonheur! cœur! amour! Dieu! —
Moi, je n'ai pour cela aucun nom. Le sentiment est tout,
le nom n'est que bruit et fumée qui nous voile l'éclat des
cieux.

MARGUERITE

Tout cela est bel et bon; ce que dit le prêtre y ressemble
assez, à quelques autres mots près.

FAUST

Tous les cœurs, sous le soleil, le répètent en tous lieux,
chacun en son langage, pourquoi ne le dirais-je pas dans
le mien?

MARGUERITE

Si on l'entend ainsi, cela peut paraître raisonnable;
mais il reste encore pourtant quelque chose de louche,
car tu n'as pas de foi dans le christianisme.

FAUST

Chère enfant!

MARGUERITE

Et puis j'ai horreur depuis longtemps de te voir dans
une compagnie...

FAUST

Comment?

MARGUERITE

Celui que tu as avec toi... je le hais du plus profond de
mon cœur. Rien dans ma vie ne m'a davantage blessé le
cœur que le visage rebutant de cet homme.

FAUST

Chère petite, ne crains rien.

MARGUERITE

Sa présence me remue le sang. Je suis d'ailleurs bien-
veillante pour tous les hommes ; mais de même que j'aime
à te regarder, de même je sens de l'horreur en le
voyant ; à tel point que je le tiens pour un coquin... Dieu
me pardonne, si je lui fais injure !

FAUST

Il faut bien qu'il y ait aussi de ces drôles-là.

MARGUERITE

Je ne voudrais pas vivre avec son pareil ! Quand il va
pour entrer, il regarde d'un air si railleur, et moitié colère !
On voit qu'il ne prend intérêt à rien ; il porte écrit sur
le front qu'il ne peut aimer nulle âme au monde. Il me
semble que je suis si bien à ton bras, si libre, si à l'aise !...
Eh bien ! sa présence me met toute à la gêne.

FAUST

Pressentiments de cet ange !

MARGUERITE

Cela me domine si fort, que partout où il nous accompagne, il me semble aussitôt que je ne t'aime plus. Quand
il est là aussi, jamais je ne puis prier, et cela me ronge
le cœur ; cela doit te faire le même effet, Henri !

FAUST

Tu as donc des antipathies ?

MARGUERITE

Je dois me retirer.

FAUST

Ah ! ne pourrai-je jamais reposer une seule heure contre
ton sein... presser mon cœur contre ton cœur, et mêler
mon âme à ton âme ?

MARGUERITE

Si seulement je couchais seule, je laisserais volontiers
ce soir les verrous ouverts ; mais ma mère ne dort point
profondément ; et si elle nous surprenait, je tomberais
morte à l'instant.

FAUST

Mon ange, cela n'arrivera point. Voici un petit flacon ; deux gouttes seulement versées dans sa boisson l'endormiront aisément d'un profond sommeil.

MARGUERITE

Que ne fais-je pas pour toi ! Il n'y a rien là qui puisse lui faire mal ?

FAUST

Sans cela, te le conseillerais-je, ma bien-aimée ?

MARGUERITE

Quand je te vois, mon cher ami, je ne sais quoi m'oblige à ne te rien refuser ; et j'ai déjà tant fait pour toi, qu'il ne me reste presque plus rien à faire. *(Elle sort.)*

MÉPHISTOPHÉLÈS *(entre)*

La brebis est-elle partie ?

FAUST

Tu as encore espionné ?

MÉPHISTOPHÉLÈS

J'ai appris tout en détail. Monsieur le docteur a été là catéchisé ; j'espère que cela vous profitera. Les jeunes filles sont très intéressées à ce qu'on soit pieux et docile à la vieille coutume. S'il s'humilie devant elle, pensent-elles, il nous obéira aussi aisément.

FAUST

Le monstre ne peut sentir combien cette âme fidèle et aimante, pleine de sa croyance, qui seule la rend heureuse, se tourmente pieusement de la crainte de voir se perdre l'homme qu'elle aime !

MÉPHISTOPHÉLÈS

O sensible, très sensible galant ! Une jeune fille te conduit par le nez.

FAUST

Vil composé de boue et de feu.

MÉPHISTOPHÉLÈS

Et elle comprend en maître les physionomies : elle est en ma présence elle ne sait comment ; mon masque, là,

désigne un esprit caché ; elle sent que je suis à coup sûr
un génie, peut-être le diable lui-même. — Et cette nuit ?...

FAUST

Qu'est-ce que cela te fait ?

MÉPHISTOPHÉLÈS

C'est que j'y ai ma part de joie.

AU LAVOIR

MARGUERITE et LISETTE *(portant des cruches)*

LISETTE

N'as-tu rien appris sur la petite Barbe ?

MARGUERITE

Pas un mot. Je vais peu dans le monde.

LISETTE

Certainement (Sibylle me l'a dit aujourd'hui), elle
s'est enfin aussi laissé séduire ! Les voilà toutes avec
leurs manières distinguées !

MARGUERITE

Comment ?

LISETTE

C'est une horreur ! Quand elle boit et mange, c'est pour
deux !

MARGUERITE

Ah !

LISETTE

Voilà comment cela a fini ; que de temps elle a été
pendue à ce vaurien ! C'était une promenade, une course
au village ou à la danse ; il fallait qu'elle fût la première
dans tout ; il l'amadouait sans cesse avec des gâteaux et
du vin ; elle s'en faisait accroire sur sa beauté, et avait
assez peu d'honneur pour accepter ses présents sans
rougir ; d'abord une caresse, puis un baiser ; si bien que sa
fleur est loin.

MARGUERITE

La pauvre créature!

LISETTE

Plains-la encore! Quand nous étions seules à filer, et que le soir nos mères ne nous laissaient pas descendre, elle s'asseyait agréablement avec son amoureux sur le banc de la porte, et, dans l'allée sombre, il n'y avait pas pour eux d'heure assez longue. Elle peut bien maintenant aller s'humilier à l'église en cilice de pénitente.

MARGUERITE

Il la prend sans doute pour sa femme.

LISETTE

Il serait bien fou; un garçon dispos a bien assez d'air autre part. Il a pris sa volée...

MARGUERITE

Ce n'est pas bien.

LISETTE

Le rattrapât-elle encore, cela ne ferait rien! Les garçons lui arracheront sa couronne, et nous répandrons devant sa porte de la paille hachée.

MARGUERITE *(retournant à la maison)*

Comment pouvais-je donc médire si hardiment quand une pauvre fille avait le malheur de faillir? Comment se faisait-il que, pour les péchés des autres, ma langue ne trouvât pas de termes assez forts! Si noir que cela me parût, je le noircissais encore. Cela ne l'était jamais assez pour moi, et je faisais le signe de la croix et je le faisais tout aussi grand que possible; et je suis maintenant le péché même! Cependant,... tout m'y entraîna; mon Dieu! il était si bon! Hélas! il était si aimable!

LES REMPARTS

(Dans un creux du mur, l'image de la Mater dolorosa; *des pots de fleurs devant.)*

MARGUERITE *(apporte un pot de fleurs nouvelles)*
Abaisse, ô mère de douleurs! un regard de pitié sur ma peine!

*Le glaive dans le cœur, tu contemples avec mille angoisses
la mort cruelle de ton fils !*

*Tes yeux se tournent vers son père ; et tes soupirs lui
demandent de vous secourir tous les deux !*

*Qui sentira, qui souffrira le mal qui déchire mon sein ?
l'inquiétude de mon pauvre cœur, ce qu'il craint, et ce qu'il
espère ? toi seule, hélas ! peux le savoir !*

*En quelque endroit que j'aille, c'est une amère, hélas ! bien
amère douleur que je traîne avec moi !*

*Je suis à peine seule, que je pleure, je pleure, je pleure ! et
mon cœur se brise en mon sein !*

*Ces fleurs sont venues devant ma croisée ! tous les jours je
les arrosais de mes pleurs : ce matin je les ai cueillies pour te
les apporter.*

*Le premier rayon du soleil dans ma chambre me trouve
sur mon lit assise, livrée à toute ma douleur !*

*Secours-moi ! sauve-moi de la honte et de la mort ! abaisse,
ô mère de douleurs ! un regard de pitié sur ma peine !*

LA NUIT
Une rue devant la porte de Marguerite.

VALENTIN *(soldat, frère de Marguerite)*

Lorsque j'étais assis à un de ces repas où chacun aime
à se vanter, et que mes compagnons levaient hautement
devant moi le voile de leurs amours, en arrosant l'éloge de
leurs belles d'un verre plein, et les coudes sur la table...
moi, j'étais assis tranquillement, écoutant toutes leurs
fanfaronnades, mais je frottais ma barbe en souriant, et
je prenais en main mon verre plein : « Chacun son goût,
disais-je ; mais en est-il une dans le pays qui égale ma
chère petite Marguerite, qui soit digne de servir à boire
à ma sœur ? » Tope ! tope ! cling ! clang ! résonnaient à
l'entour. Les uns criaient : *Il a raison, elle est l'ornement
de toute la contrée !* Alors, les vanteurs restaient muets.
Et maintenant !... c'est à s'arracher les cheveux ! à se jeter
contre les murs ! Le dernier coquin peut m'accabler de
plaisanteries, de nasardes ; il faudra que je sois devant
lui comme un coupable ; chaque parole dite au hasard me
fera suer à grosses gouttes ! et, dussé-je les hacher tous
ensemble, je ne pourrais point les appeler menteurs.

Qui vient là ? qui se glisse le long de la muraille ? Je ne me trompe pas, ce sont eux. Si c'est lui, je le punirai comme il mérite, il ne vivra pas longtemps sous les cieux.

FAUST, MÉPHISTOPHÉLÈS

FAUST

Par la fenêtre de la sacristie, on voit briller de l'intérieur la clarté de la lampe éternelle; elle vacille et pâlit, de plus en plus faible, et les ténèbres la pressent de tous côtés; c'est ainsi qu'il fait nuit dans mon cœur.

MÉPHISTOPHÉLÈS

Et moi, je me sens éveillé comme ce petit chat qui se glisse le long de l'échelle et se frotte légèrement contre la muraille; il me paraît fort honnête d'ailleurs, mais tant soit peu enclin au vol et à la luxure. La superbe nuit du sabbat agit déjà sur tous mes membres; elle revient pour nous après-demain, et l'on sait là pourquoi l'on veille.

FAUST

Brillera-t-il bientôt dans le ciel, ce trésor que j'ai vu briller ici-bas ?

MÉPHISTOPHÉLÈS

Tu peux bientôt acquérir la joie d'enlever la petite cassette, je l'ai lorgnée dernièrement, et il y a dedans de beaux écus neufs.

FAUST

Eh quoi ! pas un joyau, pas une bague pour parer ma bien-aimée ?

MÉPHISTOPHÉLÈS

J'ai bien vu par là quelque chose, comme une sorte de collier de perles.

FAUST

Fort bien; je serais fâché d'aller vers elle sans présents.

MÉPHISTOPHÉLÈS

Vous ne perdriez rien, ce me semble, à jouir encore d'un autre plaisir. Maintenant que le ciel brille tout plein d'étoiles, vous allez entendre un vrai chef-d'œuvre; je lui chante une chanson morale, pour la séduire tout à fait.

Il chante en s'accompagnant avec la guitare.

Devant la maison
De celui qui t'adore,
Petite Lison,
Que fais-tu, dès l'aurore ?
Au signal du plaisir,
Dans la chambre du drille
Tu peux bien entrer fille,
Mais non fille en sortir.

Il te tend les bras,
A lui tu cours bien vite ;
Bonne nuit, hélas !
Bonne nuit, ma petite !
Près du moment fatal,
Fais grande résistance,
S'il ne t'offre d'avance
Un anneau conjugal.

VALENTIN *(s'avance)*

Qui leurres-tu là ? Par le feu ! maudit preneur de rats !...
au diable d'abord l'instrument ! et au diable ensuite le
chanteur !

MÉPHISTOPHÉLÈS

La guitare est en deux ! elle ne vaut plus rien.

VALENTIN

Maintenant, c'est le coupe-gorge ?

MÉPHISTOPHÉLÈS *(à Faust)*

Monsieur le docteur, ne faiblissez pas ! Alerte ! tenez-
vous près de moi, que je vous conduise. Au vent votre
flamberge ! Poussez maintenant, je pare.

VALENTIN

Pare donc !

MÉPHISTOPHÉLÈS

Pourquoi pas ?

VALENTIN

Et celle-ci ?

MÉPHISTOPHÉLÈS

Certainement.

VALENTIN

Je crois que le diable combat en personne ! Qu'est cela ?
déjà ma main se paralyse.

MÉPHISTOPHÉLÈS *(à Faust)*

Poussez.

VALENTIN *(tombe)*

O ciel!

MÉPHISTOPHÉLÈS

Voilà mon lourdaud apprivoisé. Maintenant, au large!
il faut nous éclipser lestement, car j'entends déjà qu'on
crie *au meurtre!* Je m'arrange aisément avec la police;
mais quant à la justice criminelle, je ne suis pas bien dans
ses papiers.

MARTHE *(à sa fenêtre)*

Au secours! au secours!

MARGUERITE *(à sa fenêtre)*

Ici, une lumière!

MARTHE *(plus haut)*

On se dispute, on appelle, on crie, et l'on se bat.

LE PEUPLE

En voilà déjà un de mort.

MARTHE *(entrant)*

Les meurtriers se sont-ils donc enfuis?

MARGUERITE *(entrant)*

Qui est tombé là?

LE PEUPLE

Le fils de ta mère.

MARGUERITE

Dieu tout-puissant! quel malheur!

VALENTIN

Je meurs! c'est bientôt dit, et plus tôt fait encore.
Femmes, pourquoi restez-vous là à hurler et à crier?
Venez ici, et écoutez-moi! *(Tous l'entourent.)* Vois-tu, ma
petite Marguerite? tu es bien jeune, mais tu n'as pas
encore l'habitude, et tu conduis mal tes affaires : je te le dis
en confidence; tu es déjà une catin, sois-le donc convenablement.

MARGUERITE

Mon frère! Dieu! que me dis-tu là?

VALENTIN

Ne plaisante pas avec Dieu, notre Seigneur. Ce qui est
fait est fait, et ce qui doit en résulter en résultera. Tu as
commencé par te livrer en cachette à un homme, il va
bientôt en venir d'autres; et quand tu seras à une dou-
zaine, tu seras à toute la ville. Lorsque la honte naquit,
on l'apporta secrètement dans ce monde, et l'on emmail-
lota sa tête et ses oreilles dans le voile épais de la nuit;
on l'eût volontiers étouffée, mais elle crût, et se fit grande,
et puis se montra nue au grand jour, sans pourtant en
être plus belle; cependant, plus son visage était affreux,
plus elle cherchait la lumière.
Je vois vraiment déjà le temps où tous les braves gens
de la ville s'écarteront de toi, prostituée, comme d'un
cadavre infect. Le cœur te saignera, s'ils te regardent
seulement entre les deux yeux. Tu ne porteras plus de
chaîne d'or, tu ne paraîtras plus à l'église ni à l'autel! tu
ne te pavaneras plus à la danse en belle fraise brodée;
c'est dans de sales infirmeries, parmi les mendiants et les
estropiés, que tu iras t'étendre... Et, quand Dieu te
pardonnerait, tu n'en serais pas moins maudite sur la
terre!

MARTHE

Recommandez votre âme à la grâce de Dieu! voulez-
vous entasser sur vous des péchés nouveaux?

VALENTIN

Si je pouvais tomber seulement sur ta carcasse, abo-
minable entremetteuse, j'espérerais trouver de quoi
racheter de reste tous mes péchés!

MARGUERITE

Mon frère! O peine d'enfer!

VALENTIN

Je te le dis, laisse là tes larmes! Quand tu t'es séparée
de l'honneur, tu m'as porté au cœur le coup le plus
terrible. Maintenant le sommeil de la mort va me
conduire à Dieu, comme un soldat et comme un brave. *(Il
meurt.)*

L'ÉGLISE
Messe, orgue et chant.

MARGUERITE, *parmi la foule ;* LE MAUVAIS ESPRIT, *derrière elle.*

LE MAUVAIS ESPRIT

Comme tu étais tout autre, Marguerite, lorsque, pleine d'innocence, tu montais à cet autel, en murmurant des prières dans ce petit livre usé, le cœur occupé moitié des jeux de l'enfance, et moitié de l'amour de Dieu ! Marguerite, où est ta tête ? que de péchés dans ton cœur ! Pries-tu pour l'âme de ta mère, que tu fis descendre au tombeau par de longs, de bien longs chagrins ? A qui le sang répandu sur le seuil de ta porte ? — Et dans ton sein, ne s'agite-t-il pas, pour ton tourment et pour le sien, quelque chose dont l'arrivée sera d'un funeste présage ?

MARGUERITE

Hélas ! hélas ! puissé-je échapper aux pensées qui s'élèvent contre moi !

CHŒUR

Dies iræ, dies illa,
Solvet sœclum in favillâ.

L'orgue joue.

LE MAUVAIS ESPRIT

Le courroux céleste t'accable ! la trompette sonne ! les tombeaux tremblent, et ton cœur, ranimé du trépas pour les flammes éternelles, tressaille encore !

MARGUERITE

Si j'étais loin d'ici ! Il me semble que cet orgue m'étouffe ; ces chants déchirent profondément mon cœur.

CHŒUR

Judex ergo cùm sedebit,
Quidquid latet apparebit,
Nil inultum remanebit.

MARGUERITE

Dans quelle angoisse je suis ! Ces piliers me pressent,
cette voûte m'écrase. — De l'air !

LE MAUVAIS ESPRIT

Cache-toi ! Le crime et la honte ne peuvent se cacher !
De l'air !... de la lumière !... Malheur à toi !

CHŒUR

Quid sum miser tunc dicturus,
Quem patronum rogaturus ?
Cùm vix justus sit securus

LE MAUVAIS ESPRIT

Les élus détournent leur visage de toi : les justes
craindraient de te tendre la main. Malheur !

CHŒUR

Quid sum miser tunc dicturus ?

MARGUERITE

Voisine, votre flacon ! *(Elle tombe en défaillance.)*

NUIT DE SABBAT

Montagne de Harz.
(Vallée de Schirk, et désert)

MÉPHISTOPHÉLÈS

N'aurais-tu pas besoin d'un manche à balai ? Quant à
moi, je voudrais bien avoir le bouc le plus solide... dans
ce chemin, nous sommes encore loin du but.

FAUST

Tant que je me sentirai ferme sur mes jambes, ce
bâton noueux me suffira. A quoi servirait-il de raccourcir
le chemin ? car se glisser dans le labyrinthe des vallées,
ensuite gravir ce rocher du haut duquel une source se
précipite en bouillonnant, c'est le seul plaisir qui puisse
assaisonner une pareille route. Le printemps agit déjà
sur les bouleaux, et les pins mêmes commencent à sentir
son influence : ne doit-il pas agir aussi sur nos membres ?

MÉPHISTOPHÉLÈS

Je n'en sens vraiment rien, j'ai l'hiver dans le corps ; je désirerais sur mon chemin de la neige et de la gelée. Comme le disque épais de la lune rouge élève tristement son éclat tardif ! Il éclaire si mal, qu'on donne à chaque pas contre un arbre ou contre un rocher. Permets que j'appelle un feu follet : j'en vois un là-bas qui brûle assez drôlement. Holà ! l'ami ? oserais-je t'appeler vers nous ? Pourquoi flamber ainsi inutilement ? Aie donc la complaisance de nous éclairer jusque là-haut.

LE FOLLET

J'espère pouvoir, par honnêteté, parvenir à contraindre mon naturel léger, car notre course va habituellement en zigzag.

MÉPHISTOPHÉLÈS

Hé ! hé ! il veut, je pense, singer les hommes. Qu'il marche donc droit au nom du diable, ou bien je souffle son étincelle de vie.

LE FOLLET

Je m'aperçois bien que vous êtes le maître d'ici, et je m'accommoderai à vous volontiers. Mais songez donc ! la montagne est bien enchantée aujourd'hui, et si un feu follet doit vous montrer le chemin, vous ne pourrez le suivre bien exactement.

FAUST, MÉPHISTOPHÉLÈS, LE FOLLET

CHŒUR ALTERNATIF

Sur le pays des chimères
Notre vol s'est arrêté :
Conduis-nous en sûreté
Pour traverser ces bruyères,
Ces rocs, ce champ dévasté.

Vois ces arbres qui se pressent
Se froisser rapidement ;
Vois ces rochers qui s'abaissent
Trembler dans leur fondement.
Partout le vent souffle et crie !

Dans ces rocs, avec furie,
Se mêlent fleuve et ruisseau ;

J'entends là le bruit de l'eau,
Si cher à la rêverie !
Les soupirs, les vœux flottants,
Ce qu'on plaint, ce qu'on adore...
Et l'écho résonne encore
Comme la voix des vieux temps.

Ou hou ! chou hou ! retentissent ;
Hérons et hiboux gémissent,
Mêlant leur triste chanson ;
On voit de chaque buisson
Surgir d'étranges racines ;
Maigres bras, longues échines,
Ventres roulants et rampants ;
Parmi les rocs, les ruines,
Fourmillent vers et serpents.

A des nœuds qui s'entrelacent
Chaque pas vient s'accrocher !
Là des souris vont et passent
Dans la mousse du rocher.
Là des mouches fugitives
Nous précèdent par milliers,
Et d'étincelles plus vives
Illuminent les sentiers.

Mais faut-il à cette place
Avancer ou demeurer ?
Autour de nous tout menace,
Tout s'émeut, luit et grimace,
Pour frapper, pour égarer;
Arbres et rocs sont perfides;
Ces feux, tremblants et rapides,
Brillent sans nous éclairer !...

MÉPHISTOPHÉLÈS

Tiens-toi ferme à ma queue ! voici un sommet intermédiaire, d'où l'on voit avec admiration Mammon resplendir dans la montagne.

FAUST

Que cet éclat d'un triste crépuscule brille singulièrement dans la vallée ! Il pénètre jusqu'au plus profond de l'abîme. Là monte une vapeur, là un nuage déchiré; là brille une flamme dans l'ombre du brouillard; tantôt serpentant comme un sentier étroit, tantôt bouillonnant

comme une source. Ici, elle ruisselle bien loin par cent
jets différents au travers de la plaine; puis se réunit en
un seul entre des rocs serrés. Près de nous jaillissent des
étincelles qui répandent partout une poussière d'or.
Mais regarde : dans toute sa hauteur, le mur de rochers
s'enflamme.

MÉPHISTOPHÉLÈS

Le seigneur Mammon n'illumine-t-il pas son palais
comme il convient pour cette fête! C'est un bonheur pour
toi de voir cela! Je devine déjà l'arrivée des bruyants
convives.

FAUST

Comme le vent s'émeut dans l'air! De quels coups il
frappe mes épaules!

MÉPHISTOPHÉLÈS

Il faut t'accrocher aux vieux pics des rochers, ou bien
il te précipiterait au fond de l'abîme. Un nuage obscurcit
la nuit. Écoute comme les bois crient. Les hiboux fuient
épouvantés. Entends-tu éclater les colonnes de ces palais
de verdure? Entends-tu les branches trembler et se
briser? Quel puissant mouvement dans les tiges! Parmi les
racines, quel murmure et quel ébranlement! Dans leur
chute épouvantable et confuse, ils craquent les uns sur
les autres, et sur les cavernes éboulées sifflent et hurlent
les tourbillons. Entends-tu ces voix dans les hauteurs,
dans le lointain ou près de nous?... Eh! oui, la montagne
retentit dans toute sa longueur d'un furieux chant
magique.

SORCIÈRES *(en chœur)*

Gravissons le Brocken ensemble,
Le chaume est jaune, et le grain vert,
Et c'est là-haut, dans le désert,
Que toute la troupe s'assemble :
Là, monseigneur Urian s'assoit,
Et, comme prince, il nous reçoit.

UNE VOIX

La vieille Baubo vient derrière ;
Place au cochon! place à la mère !

CHŒUR

L'honneur et le pas aux anciens !
Passe, la vieille, et tous les tiens...

> *Le cochon porte la sorcière,*
> *Et la maison vient par derrière.*

UNE VOIX

Par quelle route prends-tu, toi ?

UNE AUTRE VOIX

Par celle d'Ilsentein, où j'aperçois une chouette dans son nid, qui me fait des yeux...

UNE VOIX

Oh ! viens donc en enfer ; pourquoi cours-tu si vite ?

UNE AUTRE VOIX

Elle m'a mordu : vois quelle blessure !

SORCIÈRES *(chœur)*

> *La route est longue, et les passants*
> *Sont très nombreux et très bruyants ;*
> *Maint balai se brise ou s'arrête ;*
> *L'enfant se plaint, la mère pète.*

SORCIERS *(demi-chœur)*

> *Messieurs, nous montons mal vraiment,*
> *Les femmes sont toujours devant ;*
> *Quand le diable les met en danse,*
> *Elles ont mille pas d'avance.*

AUTRE DEMI-CHŒUR

> *Voilà parler comme il convient ;*
> *Pour aller au palais du maître,*
> *Il leur faut mille pas peut-être,*
> *Quand d'un seul bond l'homme y parvient.*

VOIX *(d'en haut)*

Avancez, avancez, sortez de cette mer de rochers.

VOIX *(d'en bas)*

Nous gagnerions volontiers le haut. Nous barbotons toutes sans cesse, mais notre peine est éternellement infructueuse.

LES DEUX CHŒURS

> *Le vent se calme, plus d'étoiles,*
> *La lune se couvre de voiles,*

Mais le chœur voltige avec bruit,
Et de mille feux il reluit.

VOIX *(d'en bas)*

Halte ! halte !

VOIX *(d'en haut)*

Qui appelle dans ces fentes de rochers ?

VOIX *(d'en bas)*

Prenez-moi avec vous ; prenez-moi ! Je monte depuis trois cents ans, et ne puis atteindre le sommet ; je voudrais bien me trouver avec mes semblables.

LES DEUX CHŒURS

Le balai, le bouc et la fourche
Sont là : que chacun les enfourche !
Aujourd'hui qui n'est pas monté
Est perdu pour l'éternité.

DEMI-SORCIÈRE *(en bas)*

De bien travailler je m'honore,
Et pourtant je reste en mon coin ;
Que les autres sont déjà loin,
Quand si bas je me traîne encore !

CHŒUR DES SORCIÈRES

Une auge est un vaisseau fort bon ;
On y met pour voile un torchon,
Car si l'on ne vogue à cette heure,
Sans voguer il faudra qu'on meure.

LES DEUX CHŒURS

Au sommet nous touchons bientôt ;
Que chacun donc se jette à terre,
Et que de là l'armée entière
Partout se répande aussitôt.

Ils s'arrêtent.

MÉPHISTOPHÉLÈS

Cela se serre, cela pousse, cela saute, cela glapit, cela siffle et se remue, cela marche et babille, cela reluit, étincelle, pue et brûle ! C'est un véritable élément de sorcières... Allons, ferme, à moi ! ou nous serons bientôt séparés. Où es-tu ?

FAUST *(dans l'éloignement)*

Ici !

MÉPHISTOPHÉLÈS

Quoi! déjà emporté là-bas? Il faut que j'use de mon droit de maître du logis. Place! c'est M. Volant qui vient. Place, bon peuple! place! Ici, docteur, saisis-moi! Et maintenant, fendons la presse en un tas; c'est trop extravagant, même pour mes pareils. Là-bas brille quelque chose d'un éclat tout à fait singulier. Cela m'attire du côté de ce buisson. Viens! viens! nous nous glisserons là.

FAUST

Esprit de contradiction! Allons, tu peux me conduire. Je pense que c'est bien sagement fait; nous montons au Brocken dans la nuit du sabbat, et c'est pour nous isoler ici à plaisir.

MÉPHISTOPHÉLÈS

Tiens, regarde quelles flammes bigarrées! c'est un club joyeux assemblé. On n'est pas seul avec ces petits êtres.

FAUST

Je voudrais bien pourtant être là-haut! Déjà je vois la flamme et la fumée en tourbillons; là, la multitude roule vers l'esprit du mal. Il doit s'y dénouer mainte énigme.

MÉPHISTOPHÉLÈS

Mainte énigme s'y noue aussi. Laisse la grande foule bourdonner encore : nous nous reposerons ici en silence. Il est reçu depuis longtemps que dans le grand monde on fait des petits mondes... Je vois là de jeunes sorcières toutes nues, et des vieilles qui se voilent prudemment. Soyez aimables, pour l'amour de moi : c'est une peine légère, et cela aide au badinage. J'entends quelques instruments; maudit charivari! il faut s'y habituer. Viens donc, viens donc, il n'en peut être autrement; je marche devant et t'introduis. C'est encore un nouveau service que je te rends. Qu'en dis-tu, mon cher? Ce n'est pas une petite place; regarde seulement là : tu en vois à peine la fin. Une centaine de feux brûlent dans le cercle; on danse, on babille, on fait la cuisine, on boit et on aime; dis-moi maintenant où il y a quelque chose de mieux.

FAUST

Veux-tu, pour nous introduire ici, te présenter comme diable?

MÉPHISTOPHÉLÈS

Je suis, il est vrai, fort habitué à aller *incognito ;* un jour de gala cependant on fait voir ses cordons. Une jarretière ne me distingue pas, mais le pied du cheval est ici fort honoré. Vois-tu là cet escargot ? Il arrive en rampant, tout en tâtant avec ses cornes, il aura déjà reconnu quelque chose en moi. Si je veux, aussi bien, je ne me déguiserai pas ici. Viens donc, nous allons de feux en feux : je suis le demandeur, et tu es le galant. *(A quelques personnes assises autour de charbons à demi consumés.)* Mes vieux messieurs, que faites-vous dans ce coin-ci ? Je vous approuverais, si je vous trouvais gentiment placés dans le milieu, au sein du tumulte et d'une jeunesse bruyante. On est toujours assez isolé chez soi.

GÉNÉRAL

Aux nations bien fou qui se fiera !
Car c'est en vain qu'on travaille pour elles;
Auprès du peuple, ainsi qu'auprès des belles,
Jeunesse toujours prévaudra.

MINISTRE

L'avis des vieux me semble salutaire,
Du droit chemin tout s'éloigne à présent.
Au temps heureux que nous régnions, vraiment
C'était l'âge d'or de la terre.

PARVENU

Nous n'étions pas sots non plus, Dieu merci,
Et nous menions assez bien notre affaire ;
Mais le métier va mal en ce temps-ci,
Que tout le monde veut le faire.

AUTEUR

Qui peut juger maintenant des écrits
Assez épais, mais remplis de sagesse ?
Nul ici-bas. — Ah ! jamais la jeunesse
Ne fut plus sotte en ses avis.

MÉPHISTOPHÉLÈS *(paraissant soudain très vieux)*

Tout va périr ; et, moi, je m'achemine
Vers le Blocksberg pour la dernière fois ;
Déjà mon vase est troublé. Je le vois,
Le monde touche à sa ruine.

SORCIÈRE *(revendeuse)*

Messieurs, n'allez pas si vite! Ne laissez point échapper
l'occasion! Regardez attentivement mes denrées; il y en a
là de bien des sortes. Et cependant, rien dans mon maga-
sin qui ait son égal sur la terre, rien qui n'ait causé une
fois un grand dommage aux hommes et au monde. Ici,
pas un poignard d'où le sang n'ait coulé; pas une coupe
qui n'ait versé dans un corps entièrement sain un poison
actif et dévorant; pas une parure qui n'ait séduit une
femme vertueuse; pas une épée qui n'ait rompu une
alliance, ou frappé quelque ennemi par derrière.

MÉPHISTOPHÉLÈS

Ma mie, vous comprenez mal les temps; ce qui est fait
est fait. Fournissez-vous de nouveautés, il n'y a plus que
les nouveautés qui nous attirent.

FAUST

Que je n'aille pas m'oublier moi-même... J'appellerais
cela une foire.

MÉPHISTOPHÉLÈS

Tout le tourbillon s'élance là-haut, tu crois pousser, et
tu es poussé.

FAUST

Qui est celle-là?

MÉPHISTOPHÉLÈS

Considère-la bien, c'est Lilith.

FAUST

Qui?

MÉPHISTOPHÉLÈS

La première femme d'Adam. Tiens-toi en garde contre
ses beaux cheveux, parure dont seule elle brille : quand
elle peut atteindre un jeune homme, elle ne le laisse pas
échapper de si tôt.

FAUST

En voilà deux assises, une vieille et une jeune : elles
ont déjà sauté comme il faut.

MÉPHISTOPHÉLÈS

Aujourd'hui cela ne se donne aucun repos. On passe à
une danse nouvelle; viens maintenant, nous les prendrons.

FAUST *(dansant avec la jeune)*

Hier, un aimable mensonge
Me fit voir un jeune arbre en songe,
Deux beaux fruits semblaient y briller.
J'y montai : c'était un pommier.

LA BELLE

Les deux pommes de votre rêve
Sont celles de notre mère Eve ;
Mais vous voyez que le destin
Les mit aussi dans mon jardin.

MÉPHISTOPHÉLÈS *(avec la vieille)*

Hier, un dégoûtant mensonge
Me fit voir un vieil arbre en songe.

. . . .
. . . .

LA VIEILLE

Salut ! qu'il soit le bienvenu,
Le chevalier du pied cornu !

. . . .
. . . .

PROCTOPHANTASMIST

Maudites gens ! Qu'est-ce qui se passe entre vous ? Ne vous a-t-on pas instruits dès longtemps ? Jamais un esprit ne se tient sur ses pieds ordinaires. Vous dansez maintenant comme nous autres hommes.

LA BELLE *(dansant)*

Qu'est-ce qu'il veut dans notre bal, celui-ci ?

FAUST *(dansant)*

Eh ! il est le même en tout. Il faut qu'il juge ce que les autres dansent. S'il ne trouvait point à dire son avis sur un pas, le pas serait comme non avenu. Ce qui le pique le plus, c'est de vous voir avancer. Si vous vouliez tourner en cercle, comme il fait dans son vieux moulin, à chaque tour, il trouverait tout bon, surtout si vous aviez bien soin de le saluer.

PROCTOPHANTASMIST

Vous êtes donc toujours là ! Non, c'est inouï. Disparaissez donc ! Nous avons déjà tout éclairci ; la canaille des diables ne connaît aucun frein; nous sommes bien prudents, et cependant le creuset est toujours aussi plein. Que de temps n'ai-je pas employé dans cette idée! et rien ne s'épure. C'est pourtant inouï.

LA BELLE

Alors, cesse donc de nous ennuyer ici.

PROCTOPHANTASMIST

Je le dis à votre nez, Esprits : je ne puis souffrir le despotisme d'esprit; et mon esprit ne peut l'exercer. *(On danse toujours.)* Aujourd'hui, je le vois, rien ne peut me réussir. Cependant je fais toujours un voyage, et j'espère encore à mon dernier pas mettre en déroute les diables et les poètes.

MÉPHISTOPHÉLÈS

Il va tout de suite se placer dans une mare; c'est la manière dont il se soulage, et quand une sangsue s'est bien délectée après son derrière, il se trouve guéri des Esprits et de l'esprit. *(A Faust, qui a quitté la danse.)* Pourquoi as-tu donc laissé partir la jeune fille, qui chantait si agréablement à la danse?

FAUST

Ah! au milieu de ses chants, une souris rouge s'est échappée de sa bouche.

MÉPHISTOPHÉLÈS

Eh bien! c'était naturel! Il ne faut pas faire attention à ça. Il suffit que la souris ne soit pas grise. Qui peut y attacher de l'importance à l'heure du berger?

FAUST

Que vois-je là?

MÉPHISTOPHÉLÈS

Quoi?

FAUST

Méphisto, vois-tu une fille pâle et belle qui demeure seule dans l'éloignement? Elle se retire languissamment de ce lieu, et semble marcher les fers aux pieds. Je crois m'apercevoir qu'elle ressemble à la bonne Marguerite.

MÉPHISTOPHÉLÈS

Laisse cela! personne ne s'en trouve bien. C'est une figure magique, sans vie, une idole. Il n'est pas bon

de la rencontrer; son regard fixe engourdit le sang de
l'homme et le change presque en pierre. As-tu déjà
entendu parler de la Méduse?

FAUST

Ce sont vraiment les yeux d'un mort, qu'une main
chérie n'a point fermés. C'est bien là le sein que Marguerite m'abandonna, c'est bien le corps si doux que je
possédai!

MÉPHISTOPHÉLÈS

C'est de la magie, pauvre fou, car chacun croit y
retrouver celle qu'il aime.

FAUST

Quelles délices!... et quelles souffrances! Je ne puis
m'arracher à ce regard. Qu'il est singulier, cet unique
ruban rouge qui semble parer ce beau cou... pas plus
large que le dos d'un couteau!

MÉPHISTOPHÉLÈS

Fort bien! Je le vois aussi; elle peut bien porter sa tête
sous son bras; car Persée la lui a coupée. — Toujours
cette chimère dans l'esprit! Viens donc sur cette colline;
elle est aussi gaie que le Prater. Eh! je ne me trompe
pas, c'est un théâtre que je vois. Qu'est-ce qu'on y donne
donc?

SERVIBILIS

On va recommencer une nouvelle pièce; la dernière
des sept. C'est l'usage ici d'en donner autant. C'est un
dilettante qui l'a écrite, et ce sont des dilettantes qui la
jouent. Pardonnez-moi, messieurs, si je disparais, mais
j'aime à lever le rideau.

MÉPHISTOPHÉLÈS

Si je vous rencontre sur le Blocksberg, je le trouve tout
simple; car c'est bien à vous qu'il appartient d'y être.

WALPURGISNACHTSTRAUM
(Songe d'une nuit de Sabbat)

OU

NOCES D'OR D'OBÉRON ET DE TITANIA

INTERMÈDE

DIRECTEUR DU THÉÂTRE

Aujourd'hui nous nous reposons,
Fils de Mieding ★, de notre peine :
Vieille montagne et frais vallons
Formeront le lieu de la scène.

HÉRAUT

Les noces d'or communément
Se font après cinquante années ;
Mais les brouilles ★★ sont terminées,
Et l'or me plaît infiniment.

OBÉRON

Messieurs, en cette circonstance,
Montrez votre esprit comme moi ;
Aujourd'hui, la reine et le roi
Contractent nouvelle alliance.

PUCK

Puck arrive assez gauchement
En tournant son pied en spirales ;

★ *Directeur du théâtre de Veimar.*
★★ *Allusion aux querelles d'Obéron et de Titania, dans le Songe d'une*
nuit d'été, *de Shakespeare.*

Puis cent autres par intervalles
Autour de lui dansent gaîment.

ARIEL

Pour les airs divins qu'il module,
Ariel veut gonfler sa voix ;
Son chant est souvent ridicule,
Mais rencontre assez bien parfois.

OBÉRON

Notre union vraiment est rare,
Qu'on prenne exemple sur nous deux !
Quand bien longtemps on les sépare,
Les époux s'aiment beaucoup mieux.

TITANIA

Epoux sont unis, Dieu sait comme :
Voulez-vous les mettre d'accord ?...
Au fond du midi menez l'homme,
Menez la femme au fond du nord.

ORCHESTRE *(tutti, fortissimo)*

Nez de mouches et becs d'oiseaux,
Suivant mille métamorphoses,
Grenouilles, grillons et crapauds,
Ce sont bien là nos virtuoses.

SOLO

De la cornemuse écoutez,
Messieurs, la musique divine :
On entend bien, ou l'on devine,
Le schnickschnack qui vous sort du nez.

ESPRIT *(qui vient de se former)*

A l'embryon qui vient de naître
Ailes et pattes on joindra ;
C'est moins qu'un insecte peut-être...
Mais c'est au moins un opéra.

UN PETIT COUPLE

Dans les brouillards et la rosée
Tu t'élances... à petits pas ;
Ta démarche sage et posée
Nous plaît, mais ne s'élève pas.

UN VOYAGEUR CURIEUX

Une mascarade, sans doute,
En ce jour abuse mes yeux ;
Trouverai-je bien sur ma route
Obéron, beau parmi les dieux ?

ORTHODOXE

Ni griffes ni queue, ah ! c'est drôle !
Ils me sont cependant suspects :
Ces diables-là, sur ma parole,
Ressemblent fort aux dieux des Grecs.

ARTISTE DU NORD

Ebauche, esquisses, ou folie,
Voilà mon travail jusqu'ici ;
Pourtant je me prépare aussi
Pour mon voyage d'Italie.

PURISTE

Ah ! plaignez mon malheur, passants,
Mes espérances sont trompées :
Des sorcières qu'on voit céans,
Il n'en est que deux de poudrées.

JEUNE SORCIÈRE

Poudre et robes, c'est ce qu'il faut
Aux vieilles qui craignent la vue ;
Pour moi, sur mon bouc je suis nue,
Car mon corps n'a point de défaut.

MATRONE

Ah ! vous serez bientôt des nôtres,
Ma chère, je le parierais ;
Votre corps, si jeune et si frais,
Se pourrira, comme tant d'autres.

MAÎTRE DE CHAPELLE

Nez de mouches et becs d'oiseaux,
Ne me cachez pas la nature ;
Grenouilles, grillons et crapauds,
Tenez-vous au moins en mesure.

GIROUETTE *(tournée d'un côté)*

Bonne compagnie en ces lieux :
Hommes, femmes, sont tous, je pense,

Gens de la plus belle espérance ;
Que peut-on désirer de mieux ?

GIROUETTE (tournée d'un autre côté)

Si la terre n'ouvre bientôt
Un abîme à cette canaille,
Dans l'enfer, où je veux qu'elle aille,
Je me précipite aussitôt.

XÉNIES*

Vrais insectes de circonstance,
De bons ciseaux l'on nous arma,
Pour faire honneur à la puissance
De Satan, notre grand-papa.

HENNINGS

Ces coquins, que tout homme abhorre,
Naïvement chantent en chœur ;
Auront-ils bien le front encore
De nous parler de leur bon cœur ?

MUSAGÈTE

Des sorcières la sombre masse
Pour mon esprit a mille appas ;
Je saurais mieux guider leurs pas
Que ceux des vierges du Parnasse.

CI-DEVANT GÉNIE DU TEMPS

Les braves gens entrent partout :
Le Blocksberg est un vrai Parnasse...
Prends ma perruque par un bout,
Tout le monde ici trouve place.

VOYAGEUR CURIEUX

Dites-moi, cet homme si grand **,
Après qui donc court-il si vite ?
Dans tous les coins il va flairant...
Il chasse sans doute au jésuite.

GRUE

Quant à moi, je chasse aux poissons
En eau trouble comme en eau claire :

* Recueil d'épigrammes, *publié par Gœthe et Schiller.*
** *Nicolaï.*

Mais les gens dévots, d'ordinaire,
Sont mêlés avec les démons.

MONDAIN

Les dévots trouvent dans la foi
Toujours un puissant véhicule,
Et sur le Blocksberg, croyez-moi,
Se tient plus d'un conventicule.

DANSEUR

Déjà viennent des chœurs nouveaux :
Quel bruit fait frémir la nature ?
Paix ! du héron dans les roseaux
C'est le monotone murmure.

DOGMATIQUE

Moi, sans crainte je le soutiens,
La critique au doute s'oppose,
Car si le diable est quelque chose,
Comment donc ne serait-il rien ?

IDÉALISTE

La fantaisie, hors de sa route,
Conduit l'esprit je ne sais où,
Aussi, si je suis tout, sans doute
Aujourd'hui je ne suis qu'un fou.

RÉALISTE

Sondant les profondeurs de l'être,
Mon esprit s'est mis à l'envers ;
A présent, je puis reconnaître
Que je marche un peu de travers.

SUPERNATURALISTE

Quelle fête ! quelle bombance !
Ah ! vraiment je m'en réjouis,
Puisque, d'après l'enfer, je pense
Pouvoir juger du paradis.

SCEPTIQUE

Follets, illusion aimable,
Séduisent beaucoup ces gens-ci ;
Le doute paraît plaire au diable,
Je vais donc me fixer ici.

MAÎTRE DE CHAPELLE

En mesure, maudites bêtes !
Nez de mouches et becs d'oiseaux,
Grenouilles, grillons et crapauds,
Ah ! quels dilettantes vous êtes !

LES SOUPLES

Qui peut avoir plus de vertus
Qu'un sans-souci ?... rien ne l'arrête ;
Quand les pieds ne le portent plus,
Il marche très bien sur la tête.

LES EMBARRASSÉS

Autrefois nous vivions gaîment,
Aux bons repas toujours fidèles :
Mais ayant usé nos semelles
Nous courons nu-pieds à présent.

FOLLETS

Nous sommes enfants de la boue,
Cependant plaçons-nous devant ;
Car, puisqu'ici chacun nous loue,
Il faut prendre un maintien galant.

ÉTOILE *(tombée)*

Tombée et gisante sur l'herbe,
Du sort je subis les décrets ;
A ma gloire, à mon rang superbe,
Qui peut me rendre désormais ?

LES MASSIFS

Place ! place ! au poids formidable,
Qui sur le sol tombe d'aplomb :
Ce sont des esprits !... lourds en diable,
Car ils ont des membres de plomb.

PUCK

Gros éléphants, ou pour bien dire,
Esprits, marchez moins lourdement :
Le plus massif, en ce moment,
C'est Puck, *dont la face fait rire.*

ARIEL

Si la nature, ou si l'esprit,
Vous pourvut d'ailes azurées,

Suivez mon vol dans ces contrées,
Où la rose pour moi fleurit.

L'ORCHESTRE *(pianissimo)*

Les brouillards, appuis du mensonge,
S'éclaircissent sur ces coteaux :
Le vent frémit dans les roseaux...
Et tout a fui comme un vain songe.

JOUR SOMBRE. UN CHAMP

FAUST, MÉPHISTOPHÉLÈS

FAUST

Dans le malheur!... le désespoir! Longtemps misérablement égarée sur la terre, et maintenant captive! Jetée, comme une criminelle, dans un cachot, la douce et malheureuse créature se voit réservée à d'insupportables tortures! Jusque là, jusque là! — Imposteur, indigne esprit!... et tu me le cachais! Reste maintenant, reste! Roule avec furie tes yeux de démon dans ta tête infâme! — Reste! et brave-moi par ton insoutenable présence! Captive! accablée d'un malheur irréparable! abandonnée aux mauvais esprits et à l'inflexible justice des hommes!... Et tu m'entraînes pendant ce temps à de dégoûtantes fêtes, tu me caches sa misère toujours croissante, et tu l'abandonnes sans secours au trépas qui va l'atteindre!

MÉPHISTOPHÉLÈS

Elle n'est pas la première.

FAUST

Chien! exécrable monstre! — Change-le, Esprit infini! qu'il reprenne sa première forme de chien, sous laquelle il se plaisait souvent à marcher la nuit devant moi, pour se rouler devant les pieds du voyageur tranquille, et se jeter sur ses épaules après l'avoir renversé! Rends-lui la figure qu'il aime; que, dans le sable, il rampe devant moi sur le ventre, et que je le foule aux pieds, le maudit! — Ce n'est pas la première! — Horreur! horreur! qu'aucune âme humaine ne peut comprendre! plus d'une créature

plongée dans l'abîme d'une telle infortune ! Et la première,
dans les tortures de la mort, n'a pas suffi pour racheter
les péchés des autres, aux yeux de l'éternelle miséricorde !
La souffrance de cette seule créature dessèche la moelle
de mes os, et dévore rapidement les années de ma vie ;
et toi, tu souris tranquillement à la pensée qu'elle partage
le sort d'un millier d'autres.

MÉPHISTOPHÉLÈS

Nous sommes encore aux premières limites de notre
esprit, que celui de vous autres hommes est déjà dépassé.
Pourquoi marcher dans notre compagnie, si tu ne peux
en supporter les conséquences ? Tu veux voler, et n'es pas
assuré contre le vertige ! Est-ce nous qui t'avons invoqué,
ou si c'est le contraire ?

FAUST

Ne grince pas si près de moi tes dents avides. Tu me
dégoûtes ! — Sublime Esprit, toi qui m'as jugé digne de
te contempler, pourquoi m'avoir accouplé à ce compagnon
d'opprobre, qui se nourrit de carnage et se délecte de
destruction ?

MÉPHISTOPHÉLÈS

Est-ce fini ?

FAUST

Sauve-la !... ou malheur à toi ! la plus horrible malédiction sur toi, pour des milliers d'années !

MÉPHISTOPHÉLÈS

Je ne puis détacher les chaînes de la vengeance, je ne
puis ouvrir les verrous. — Sauve-la ! — Qui donc l'a
entraînée à sa perte ?... Moi ou toi ? *(Faust lance autour de
lui des regards sauvages.)* Cherches-tu le tonnerre ? Il est
heureux qu'il ne soit pas confié à de chétifs mortels.
Ecraser l'innocent qui résiste, c'est un moyen que les
tyrans emploient pour se faire place en mainte circonstance.

FAUST

Conduis-moi où elle est ! il faut qu'elle soit libre !

MÉPHISTOPHÉLÈS

Et le péril auquel tu t'exposes ! Sache que le sang
répandu de ta main fume encore dans cette ville. Sur la
demeure de la victime planent des esprits vengeurs, qui
guettent le retour du meurtrier.

FAUST

L'apprendre encore de toi! Ruine et mort de tout un monde sur toi, monstre! Conduis-moi, te dis-je, et délivre-la!

MÉPHISTOPHÉLÈS

Je t'y conduis; quant à ce que je puis faire, écoute! Ai-je tout pouvoir sur la terre et dans le ciel? Je brouillerai l'esprit du geôlier, et je te mettrai en possession de la clef; il n'y a ensuite qu'une main humaine qui puisse la délivrer. Je veillerai, les chevaux enchantés seront prêts, et je vous enlèverai. C'est tout ce que je puis.

FAUST

Allons! partons!

LA NUIT EN PLEIN CHAMP

FAUST, MÉPHISTOPHÉLÈS *(galopant sur des chevaux noirs)*

FAUST

Qui se remue là autour du lieu du supplice?

MÉPHISTOPHÉLÈS

Je ne sais ni ce qu'ils cuisent, ni ce qu'ils font.

FAUST

Ils s'agitent çà et là, se lèvent et se baissent.

MÉPHISTOPHÉLÈS

C'est une communauté de sorciers.

FAUST

Ils sèment et consacrent.

MÉPHISTOPHÉLÈS

Passons! passons!

CACHOT

FAUST *(avec un paquet de clefs et une lampe, devant une petite porte de fer)*

Je sens un frisson inaccoutumé s'emparer lentement de moi. Toute la misère de l'humanité s'appesantit sur ma tête. Ici! ces murailles humides... voilà le lieu qu'elle habite, et son crime fut une douce erreur! Faust, tu trembles de t'approcher! tu crains de la revoir! Entre donc! ta timidité hâte l'instant de son supplice. *(Il tourne la clef. On chante au dedans.)*

> *C'est mon coquin de père*
> *Qui m'égorgea ;*
> *C'est ma catin de mère*
> *Qui me mangea :*
> *Et ma petite sœur la folle*
> *Jeta mes os dans un endroit*
> *Humide et froid,*
> *Et je devins un bel oiseau qui vole,*
> *Vole, vole, vole !*

FAUST *(ouvrant la porte)*

Elle ne se doute pas que son bien-aimé l'écoute, qu'il entend le cliquetis de ses chaînes et le froissement de sa paille. *(Il entre.)*

MARGUERITE *(se cachant sous sa couverture)*

Hélas! hélas! les voilà qui viennent. Que la mort est amère !

FAUST *(bas)*

Paix! paix! je viens te délivrer.

MARGUERITE *(se traînant jusqu'à lui)*

Es-tu un homme? tu compatiras à ma misère.

FAUST

Tes cris vont éveiller les gardes! *(Il saisit les chaînes pour les détacher.)*

MARGUERITE

Bourreau! qui t'a donné ce pouvoir sur moi? Tu viens me chercher déjà, à minuit! Aie compassion, et laisse-moi vivre. Demain, de grand matin, n'est-ce pas assez tôt ? *(Elle se lève.)* Je suis pourtant si jeune, si jeune, et je dois déjà mourir ! Je fus belle aussi, c'est ce qui causa ma perte. Le bien-aimé était à mes côtés, maintenant il est bien loin ; ma couronne est arrachée, les fleurs en sont dispersées... Ne me saisis pas si brusquement ! épargne-moi ! que t'ai-je fait ? Ne sois pas insensible à mes larmes : de ma vie je ne t'ai vu.

FAUST

Puis-je résister à ce spectacle de douleur ?

MARGUERITE

Je suis entièrement en ta puissance ; mais laisse-moi encore allaiter mon enfant. Toute la nuit je l'ai pressé contre mon cœur ; ils viennent de me le prendre pour m'affliger, et disent maintenant que c'est moi qui l'ai tué. Jamais ma gaîté ne me sera rendue. Ils chantent des chansons sur moi ! c'est mal de leur part ! Il y a un vieux conte qui finit comme cela. A quoi veulent-ils faire allusion ?

FAUST *(se jetant à ses pieds)*

Ton amant est à tes pieds, il cherche à détacher tes chaînes douloureuses.

MARGUERITE *(s'agenouillant aussi)*

Oh ! oui, agenouillons-nous pour invoquer les saints ! Vois sous ces marches, au seuil de cette porte... c'est là que bouillonne l'enfer ! et l'esprit du mal, avec ses grincements effroyables... Quel bruit il fait !

FAUST *(plus haut)*

Marguerite ! Marguerite !

MARGUERITE *(attentive)*

C'était la voix de mon ami ! *(Elle s'élance, les chaînes tombent.)* Où est-il ? je l'ai entendu m'appeler. Je suis libre ! personne ne peut me retenir, et je veux voler dans ses bras, reposer sur son sein ! Il a appelé Marguerite, il était là, sur le seuil. Au milieu des hurlements et du tumulte de l'enfer, à travers les grincements, les rires des démons, j'ai reconnu sa voix si douce, si chérie !

FAUST

C'est moi-même !

MARGUERITE

C'est toi ! oh ! redis-le encore ! *(Le pressant contre elle.)*
C'est lui ! lui ! Où sont mes douleurs ? où sont les angoisses
de la prison ? où sont les chaînes ?... C'est bien toi ! tu
viens me sauver... Me voilà sauvée ! — La voici, la rue où
je te vis pour la première fois ! voilà le jardin où Marthe et
moi nous t'attendîmes.

FAUST *(s'efforçant de l'entraîner)*

Viens ! viens avec moi !

MARGUERITE

Oh ! reste ! reste encore... J'aime tant à être où tu es !
(Elle l'embrasse.)

FAUST

Hâte-toi ! nous payerons cher un moment de retard.

MARGUERITE

Quoi ! tu ne peux plus m'embrasser ? Mon ami, depuis
si peu de temps que tu m'as quittée, déjà tu as désappris
à m'embrasser ? Pourquoi dans tes bras suis-je si
inquiète ?... quand naguère une de tes paroles, un de tes
regards, m'ouvraient tout le ciel et que tu m'embrassais
à m'étouffer. Embrasse-moi donc, ou je t'embrasse moi-
même ! *(Elle l'embrasse.)* O Dieu ! tes lèvres sont froides,
muettes. Ton amour, où l'as-tu laissé ? qui me l'a ravi ?
(Elle se détourne de lui.)

FAUST

Viens ! suis-moi ! ma bien-aimée, du courage ! Je brûle
pour toi de mille feux; mais suis-moi, c'est ma seule
prière !

MARGUERITE *(fixant les yeux sur lui)*

Est-ce bien toi ? es-tu bien sûr d'être toi ?

FAUST

C'est moi ! viens donc !

MARGUERITE

Tu détaches mes chaînes, tu me reprends contre ton
sein... comment se fait-il que tu ne te détournes pas de
moi avec horreur ? Et sais-tu bien, mon ami, sais-tu bien
qui tu délivres ?

FAUST

Viens ! viens ! la nuit profonde commence à s'éclaircir.

MARGUERITE

J'ai tué ma mère ! Mon enfant, je l'ai noyé ! il te fut donné comme à moi ! oui, à toi aussi. — C'est donc toi !... je le crois à peine. Donne-moi ta main. — Non, ce n'est point un rêve. Ta main chérie !... Ah ! mais elle est humide ! essuie-la donc ! il me semble qu'il y a du sang. Oh ! Dieu ! qu'as-tu fait ? Cache cette épée, je t'en conjure !

FAUST

Laisse là le passé, qui est passé ! Tu me fais mourir.

MARGUERITE

Non, tu dois me suivre ! Je vais te décrire les tombeaux que tu auras soin d'élever dès demain ; il faudra donner la meilleure place à ma mère ; que mon frère soit tout près d'elle ; moi, un peu sur le côté, pas trop loin cependant, et le petit contre mon sein droit. Nul autre ne sera donc auprès de moi ! — Reposer à tes côtés, c'eût été un bonheur bien doux, bien sensible ! mais il ne peut m'appartenir désormais. Dès que je veux m'approcher de toi, il me semble toujours que tu me repousses ! Et c'est bien toi pourtant, et ton regard a tant de bonté et de tendresse !

FAUST

Puisque tu sens que je suis là, viens donc !

MARGUERITE

Dehors ?

FAUST

A la liberté.

MARGUERITE

Dehors, c'est le tombeau ! c'est la mort qui me guette ! Viens !... d'ici dans la couche de l'éternel repos, et pas un pas plus loin. — Tu t'éloignes ! ô Henri ! si je pouvais te suivre !

FAUST

Tu le peux ! veuille-le seulement, la porte est ouverte.

MARGUERITE

Je n'ose sortir, il ne me reste plus rien à espérer, et, pour moi, de quelle utilité serait la fuite ! Ils épient mon passage ! Puis, se voir réduite à mendier, c'est si misérable, et avec une mauvaise conscience encore ! C'est si misérable d'errer dans l'exil ! et d'ailleurs ils sauraient bien me reprendre.

FAUST

Je reste donc avec toi !

MARGUERITE

Vite ! vite ! sauve ton pauvre enfant ! va, suis le chemin le long du ruisseau, dans le sentier, au fond de la forêt, à gauche, où est l'écluse, dans l'étang. Saisis-le vite, il s'élève à la surface, il se débat encore ! sauve-le ! sauve-le !

FAUST

Reprends donc tes esprits ; un pas encore, et tu es libre !

MARGUERITE

Si nous avions seulement dépassé la montagne ! Ma mère est là, assise sur la pierre. Le froid me saisit à la nuque ! Ma mère est là, assise sur la pierre, et elle secoue la tête, sans me faire aucun signe, sans cligner de l'œil, sa tête est si lourde, elle a dormi si longtemps !... Elle ne veille plus ! elle dormait pendant nos plaisirs. C'étaient là d'heureux temps !

FAUST

Puisque ni larmes ni paroles ne font rien sur toi, j'oserai t'entraîner loin d'ici.

MARGUERITE

Laisse-moi ! non, je ne supporterai aucune violence ! Ne me saisis pas si violemment ! je n'ai que trop fait ce qui pouvait te plaire.

FAUST

Le jour se montre !... Mon amie ! ma bien-aimée !

MARGUERITE

Le jour ? Oui, c'est le jour ! c'est le dernier des miens ; il devait être celui de mes noces ! Ne va dire à personne que Marguerite t'avait reçu si matin. Ah ! ma couronne !... elle est bien aventurée !... Nous nous reverrons, mais ce ne sera pas à la danse. La foule se presse, on ne cesse de l'entendre ; la place, les rues pourront-elles lui suffire ? La cloche m'appelle, la baguette de justice est brisée. Comme ils m'enchaînent ! Comme ils me saisissent ! Je suis déjà enlevée sur l'échafaud, déjà tombe sur le cou de chacun le tranchant jeté sur le mien. Voilà le monde entier muet comme le tombeau !

FAUST

Oh ! que ne suis-je jamais né !

MÉPHISTOPHÉLÈS *(se montrant au dehors)*

Sortez ! ou vous êtes perdus. Que de paroles inutiles !
que de retards et d'incertitudes ! Mes chevaux s'agitent,
et le jour commence à poindre.

MARGUERITE

Qui s'élève ainsi de la terre ? Lui ! lui ! chasse-le vite ;
que vient-il faire dans le saint lieu ?... C'est moi qu'il
veut.

FAUST

Il faut que tu vives !

MARGUERITE

Justice de Dieu, je me suis livrée à toi !

MÉPHISTOPHÉLÈS *(à Faust)*

Viens ! viens ! ou je t'abandonne avec elle sous le
couteau !

MARGUERITE

Je t'appartiens, père ! sauve-moi ! Anges, entourez-moi,
protégez-moi de vos saintes armées !... Henri, tu me fais
horreur !

MÉPHISTOPHÉLÈS

Elle est jugée !

VOIX *(d'en haut)*

Elle est sauvée !

MÉPHISTOPHÉLÈS *(à Faust)*

Ici, à moi ! *(Il disparaît avec Faust.)*

VOIX *(du fond, qui s'affaiblit)*

Henri ! Henri !

TABLE DES MATIÈRES

Il existe dans la célèbre collection des classiques Garnier une édition critique de Faust. L'œuvre de Gœthe y est précédé des préfaces que Gérard de Nerval a écrites pour les diverses éditions de sa traduction et suivi des parties du Second Faust qu'il a traduites. L'ouvrage, qui est agrémenté d'illustrations, comprend en outre une introduction, un relevé de variantes, de nombreuses notes, une bibliographie, enfin un appendice où figure, entre autres textes, la traduction de la Légende de Faust par Widmann.

TITRES RÉCEMMENT PARUS

AMADO (JORGE)
Mar morto (388)

ARIOSTE
Roland furieux. Textes choisis et présentés par Italo CALVINO (380)

BALZAC
Béatrix. Préface de Julien Gracq (327) - Le Chef-d'œuvre inconnu. Gambara. Massimilla Doni (365) - Annette et le criminel (391)

BECKFORD
Vathek (375)

BRONTÉ (EMILY)
Hurlevent-des-Monts *(Wuthering Heights)* (411)

CARROLL (LEWIS)
Tout Alice (312)

CAZOTTE
Le Diable amoureux (361)

CARRINGTON
Le Cornet acoustique (397)
***
Code civil (Le). Textes antérieurs et version actuelle. Éd. J. Veil (318)

COLETTE
La Fin de Chéri (390)

CROS
Le Coffret de Santal - Le Collier de griffes (329)

DAUDET
Contes du Lundi (308)

DESCARTES
Méditations métaphysiques (328)

DIDEROT
Le Neveu de Rameau (143)

DICKENS
David Copperfield 1 (310) - 2 (311)

DOSTOIEVSKI
Récits de la maison des morts (337) - L'Idiot 1 (398) - 2 (399)

DUMAS fils
La Dame aux camélias. Roman, théâtre, opéra. *La Traviata* (381)
***
Farces du Moyen Age (412)

FLAUBERT
L'Éducation sentimentale. Première version - Passion et Vertu (339)

GAUTIER
Voyage en Espagne (367) - Récits fantastiques (383)

GOLDONI
La Manie de la villégiature, Baroufe à Chiogga et autres pièces (322)

HAMSUN
Victoria (422)

HAWTHORNE
La Lettre écarlate (382)

HOBBES
Le Citoyen (De Cive) (385)

HOFFMANN
Contes fantastiques 1 (330) - 2 (358) - 3 (378)

HÖLDERLIN
Hymnes-Élégies (352)

HUGO
Les Travailleurs de la mer (341) - L'Homme qui rit 1 (359) - 2 (384)

HUME
Enquête sur l'entendement humain (343)

KADARÉ
Le Pont aux trois arches (425)

KAFKA
Le Procès (400) - Le Château (428)

LA BOÉTIE
Discours de la servitude volontaire (394)
***
Lettres portugaises. Lettres d'une Péruvienne et autres romans d'amour par lettres (379)
***
Lettres édifiantes et curieuses de Chine (315)

LOCKE
Traité du gouvernement civil (408)

MACHIAVEL
Le Prince (317)

MARGUERITE DE NAVARRE
L'Heptaméron (355)

MANN
Mario et le magicien (403)

MAUPASSANT
Le Horla et autres contes d'angoisse (409)

MAURIAC
Un adolescent d'autrefois (387)

MELVILLE
Moby Dick (236)

MÉRIMÉE
Carmen. Les âmes du purgatoire (263) - La Vénus d'Ille et autres nouvelles (368) - Tamango. Mateo Falcone et autres nouvelles (392)

MIRBEAU
Le Journal d'une femme de chambre (307)

MISTRAL
Mireille (texte provençal et trad. de Mistral) (304)

GF GRAND-FORMAT

Vous trouverez chez votre libraire le catalogue complet de notre collection.

GF — TEXTE INTÉGRAL — GF

11038-1985. — Impr.-Reliure Mame, Tours.
N° d'édition 10468. — 3e trimestre 1964. — Printed in France.

